LE DICO DES GARÇONS

FLEURUS

Direction : Guillaume Arnaud
Direction éditoriale : Sarah Malherbe
Édition : Claire Renaud, Anne de Lilliac

Direction artistique : Élisabeth Hebert
Mise en pages : Séverine Roze, assistée de Félicité d'Hautefeuille

Fabrication : Thierry Dubus, Sabine Marioni

Site : www.fleuruseditions.com
ISBN : 978-2-2150-9850-8
Code MDS : 651 471
N° d'édition : 11 157

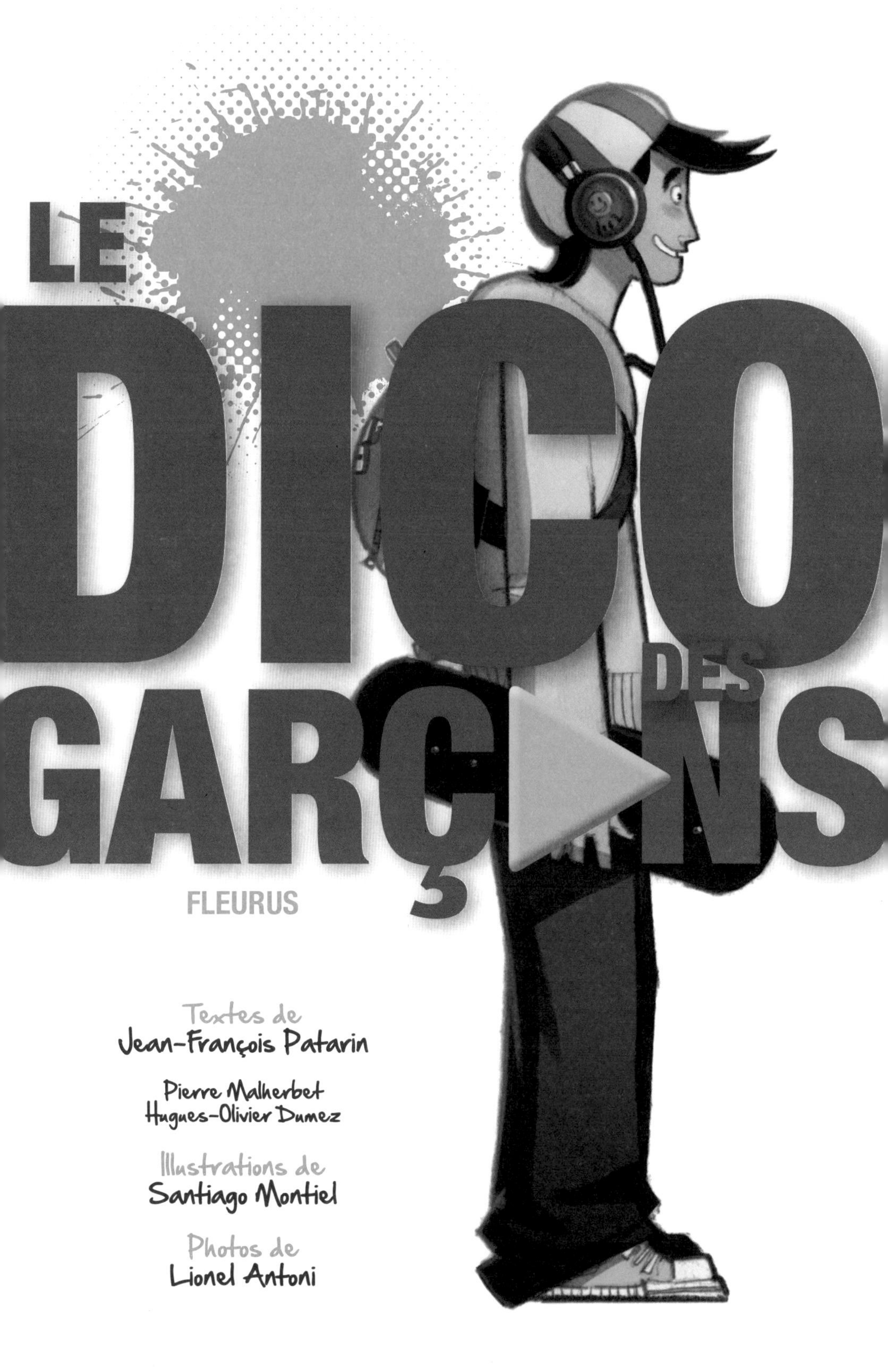
LE
DICO
DES
GARÇONS
FLEURUS
Textes de
Jean-François Patarin
Pierre Malherbet
Hugues-Olivier Dumez
Illustrations de
Santiago Montiel
Photos de
Lionel Antoni

À Pablo
J.F.P.

INTRODUCTION

Non mais ils se prennent pour qui, ceux-là ! Écrire un bouquin sur... les mecs. Alors qu'il te suffit d'un miroir et basta, le voilà, le mec. Le vrai ! Pas besoin d'un livre. D'un dico, en plus ! Oui mais. Ouvre-le donc !

Ah tiens, y a des dessins ! Sympas les dessins ! Drôles, pas du genre trigono-biolo-mathématico-rasoir. Et puis, des photos ! Plutôt réussies ! Voyons voir un peu le texte. Eh non, il ne commence pas à la définition de la lettre A (très intéressante) pour te barber jusqu'à celle du mot zygomatique*.

Il ne se concentre que sur des sujets vitaux, capitaux, essentiels : la drague, les potes, les voitures, les filles (une attention particulière est même portée à l'espèce venimeuse des allumeuses).

Un guide du séducteur, du dragueur, du lover, du glandeur ? Doucement ! Tu vas pouvoir également trouver des infos pratiques, des anecdotes, sur les abdos, l'acné, et comme tu seras fasciné, enfin on l'espère, tu iras au moins jusqu'au V pour tout savoir sur les Vestiaires, en ayant entretemps chopé des tuyaux pour expliquer à tes parents la nécessité de te laisser faire la grasse mâtinée.

Quand on te dit qu'il est bien ce bouquin !

* Comme on est grand prince, on te l'offre. Zygomatique est un adjectif et un substantif qui désignent les joues : les muscles zygomatiques sont utilisés lorsqu'on rit. On espère que tu vas t'en servir un peu (voire beaucoup) à la lecture de ce livre.

ABDOS

TABLETTES DE CHOCOLAT ET BISCOTOS D'ACIER !

Monsieur Muscle

Waouh ! Les gros bras et le corps bodybuildé, ça en jette ! Surtout si tu as l'air d'un moustique et que tu as l'impression de passer inaperçu. Puis, à la télévision, ces gars-là, ils tombent toutes les filles, alors tu as sacrément envie de leur ressembler... Mais dans la réalité, c'est un peu différent.

Sport co

La gonflette tout seul chez soi c'est sympa, mais le sport avec les potes, c'est quand même beaucoup mieux ! Alors vive les foots improvisés, les tennis et les matchs de beach-volley l'été sur la plage !

Tiens, j'ai un muscle ici ?

Certes, tu grandis à vue d'œil, tes épaules s'élargissent et tous tes muscles (même ceux dont tu ignorais l'existence) se dessinent. Mais ce n'est encore qu'un vague croquis. Après des heures passées à t'étudier dans le miroir de la salle de bains, tu es sûr d'une chose : tu n'es plus tout à fait un enfant et loin d'être encore un homme accompli. Le géant vert, ce n'est pas pour tout de suite !

On se bouge !

À défaut de ressembler immédiatement à Rambo, tu peux toujours faire quelques petites choses simples pour te sentir bien et développer tous tes muscles : abdos, tractions, pompes, chaise... L'avantage : ça se pratique partout, et en toute discrétion au cas où tu ramerais un peu au début ! Après quelques séances régulières, tu constateras les effets positifs : le volume de tes muscles augmentera et tu te sentiras plus en forme. Parfait pour épater les filles !

Gare aux excès !

Mais attention ! Ne deviens pas une caricature ! Gonflette et salle de musculation ne te mèneront pas bien loin... Sans compter qu'être musclé pour le plaisir d'exhiber ses biscotos, c'est pathétique. Ne crois pas tout ce que te racontent les pubs et les magazines qui prétendent que, pour être heureux, il te faut absolument un corps de GI bodybuildé ! Le physique, ça ne fait pas tout : tous les muscles du monde ne pourront rien pour toi si tu n'as pas développé le principal d'entre eux : ton cerveau !

Un physique attrayant, certes, mais embelli par une bonne dose d'esprit et d'humour. Parce que Rocky qui ne sait que crier « Adrienne », ça va cinq minutes ! Les filles ne sont pas dupes : elles ne veulent pas sortir avec Monsieur Muscle mais avec une personne simple, bien dans sa peau et dans sa tête. Un mec bien, quoi. Comme toi.

Corps
Potes
Sport

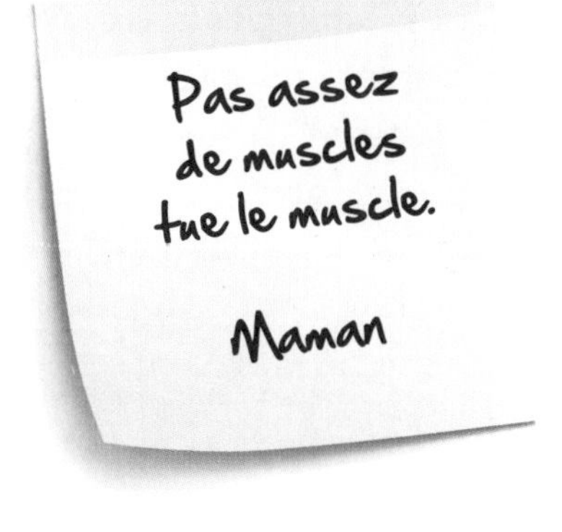

La fiesta

Ce soir, c'est LA grosse soirée, celle qui doit rester inoubliable : tous tes potes y sont, la fille de tes rêves également. Tu es beau dans ton nouveau jean, tes cheveux sont en ordre de bataille sur ta tête. Tout est parfait ! Et pour être encore plus cool et détendu, tu te dis que cette bouteille de vodka sur la table du buffet pourrait te donner un petit coup de pouce...

ALCOOL

HIPS !

Le binge drinking

Il s'agit de l'alcool défonce, très répandu chez les jeunes. On boit jusqu'à plus soif, un maximum, pour être un maximum ivre. Sache que cette pratique consistant à boire beaucoup en très peu de temps a des conséquences très néfastes sur toi et ton entourage. Il y a des choses bien plus cools et plus intelligentes à faire avec tes potes que te saouler pour le plaisir !

Pas d'alcool !

Fatal error ! Tu penses peut-être que l'alcool, ça rend fort, cool, viril, que tu vas pouvoir tomber les filles en leur montrant que tu bois comme un trou. Tout ça, tu vois, ce n'est pas vrai du tout : les filles ne tiennent pas à fréquenter des mecs bourrés et boire ne fera pas de toi un homme. Si tu es un vrai mec, pas besoin d'alcool pour aborder les filles, ni pour être bien dans ta tête et dans ta peau. Alors pourquoi te saouler pour trouver du courage ? Reste comme tu es, sois toi-même et ose ! C'est la meilleure solution pour t'éclater et passer une soirée d'enfer !

Interdit par la loi

Si la consommation d'alcool est interdite aux mineurs, ce n'est pas pour rien : il fait d'énormes dégâts ! Chaque année, l'alcool tue plus de 45 000 personnes et détruit des foies par milliers. Les grandes marques d'alcool inventent toujours de nouvelles boissons pour séduire les adolescents ; plus sucrées, plus colorées, plus branchées, elles contiennent autant d'alcool que les autres. Alors ne laisse pas la pub te prendre pour un pigeon géant. Quel que soit son nom, l'alcool reste dangereux.

Attention danger !

Avec l'alcool, tu peux te retrouver dans des situations très embarrassantes. En buvant, tu prends le risque de raconter n'importe quoi, de perdre le contrôle de tes actes et, même, de devenir violent ou d'accepter des choses que tu ne ferais jamais dans un état normal : courir tout nu, sortir avec la première venue, t'embrouiller avec tes potes, manger des trucs immondes...

Voir aussi

Courage
Drague
Fête
Fumette
Potes

Lendemain de fête

Puis, pense au lendemain : gueule de bois, bouche pâteuse, haleine de labrador... Beurk ! Tout ça pour te donner le courage d'aborder une fille qui n'a pas voulu de toi parce que... tu étais trop bourré. Sans compter que tes parents risquent de ne pas apprécier de récupérer une épave saoule à la place de leur fils ! Et adieu les sorties jusqu'à tes 18 ans ! Dire non, c'est dur, mais c'est une preuve de maturité, de courage et d'indépendance d'esprit.

DRINK

Quelques numéros utiles

Fil Santé Jeunes :
32 24

Drogues – Alcool – Tabac Info Service :
0800 23 13 13

ALLUMEUSE

« ALLUMER LE FEU ! »

Lieu du crime : Abribus, ligne 56

Hier, elle t'a abordé pour te demander l'heure et te lancer en remerciement un : « T'es trop chou. » Sans compter les sourires et les clins d'œil dans la cour. C'est sûr, elle en pince pour toi. Alors aujourd'hui, confiant, tu tentes un classique : « Ça te dirait un cinéma ? » Et là, tu reçois un direct : « Non mais, ça va pas. Il se prend pour qui, celui-là ! » Paf ! Bienvenue dans le club des nouvelles victimes de la horde des « allumeuses ».

Fiche signalétique

Alors voilà : la meilleure arme contre ces venimeuses créatures est peut-être de savoir les reconnaître. Généralement, elles sont bien habillées, jolies, marrantes – ou essaient de l'être – et, surtout, elles sont plutôt sûres d'elles et de l'effet qu'elles font aux garçons. Il semble que leur mission est de plaire à tout le monde sans s'attacher à personne en particulier. Elles ont certainement besoin de se rassurer ainsi sur leur *sex appeal.*

C'est grave, docteur ?

Pourquoi, mais pourquoi faire tourner les têtes ? Va savoir ! En tout cas, si tu suspectes une fille d'être une allumeuse, le mieux est de la fuir pour t'éviter une déception. Pour savoir si elle appartient à cette catégorie, observe-la quelque temps ; si elle se comporte de la même manière avec la plupart des garçons de ton âge, change de cap en la croisant. Cela la déstabilisera peut-être. Et pourquoi ne deviendrait-elle pas une bonne copine ?

Mais attention !

Une fille jolie, sympa, qui te parle, voire qui te drague un peu, n'est pas forcément une allumeuse. Elle est peut-être tout simplement jolie, sympa, et elle apprécie ta compagnie. Elle est pas belle, la vie ?

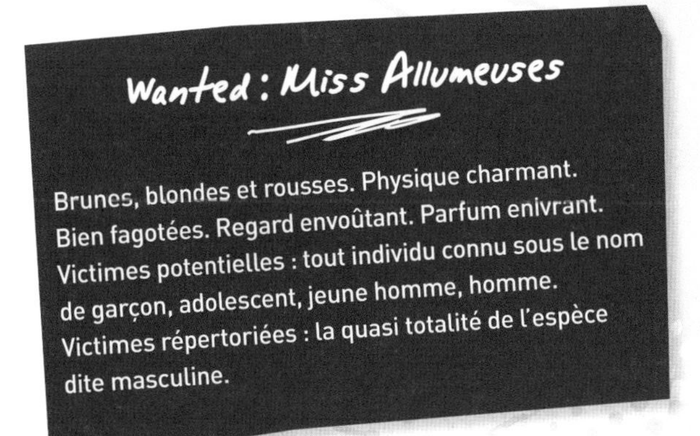

Allumicidor®

Ceci est un antidote destiné à amoindrir l'effet néfaste connu sous le nom de « Grosse honte » que peut causer une allumeuse à votre amour propre.

Quand devez-vous prendre ce médicament ?
Vous venez de proposer une sortie, un rendez-vous, un baiser à une allumeuse et vous recevez en réponse un refus, voire une moquerie.

Posologie
Prononcez un :
« Non mais je rigole ! » lorsque l'allumeuse a refusé votre proposition. Si les symptômes persistent, ajoutez une dose de : « Tu crois tout de même pas que j'étais sérieux ? ».

Effets secondaires indésirables
Échauffement de la joue également nommé gifle, baffe ou taloche.

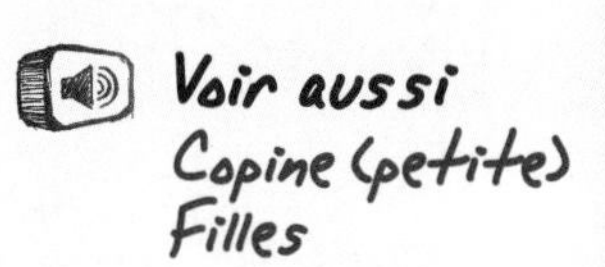
Voir aussi
Copine (petite)
Filles

AMOU

« Je suis raide, dingue, fou, en pâmoison, ému, fébrile, touché, comme une baleine devant un plancton, un âne face à une carotte, mon chat lors d'une sardinade quand, quand je la...
– Quand tu la vois.
– Oui !
– Ben tu es amoureux, quoi ! »

Tomber amoureux de sa meilleure copine, c'est possible ?

Tu te découvres des sentiments pour une fille dont tu étais proche ? Pas facile à gérer. L'amitié avec une fille peut parfois devenir source de quiproquos. Si elle n'éprouve pas la même chose pour toi, tu risques de briser une solide amitié. La solution ? Ne te lance pas direct ! Assure-toi que, de son côté, la relation s'est aussi muée en amour.

« Je t'aime, moi non plus »

Une jolie fille t'attire dans la classe. Ton cœur s'emballe, les mots se mélangent dans ta tête, tes jambes jouent des castagnettes toutes seules. Mais comment l'aborder, ça c'est une autre question. Bien plus difficile à résoudre que le pire problème de maths. Alors, courageux mais pas téméraire, tu envoies un pote à ta place pour lui demander si elle veut de toi. Et tu te caches tant bien que mal pour assister à la scène près des toilettes. Pas sûr que ce plan à la Cyrano de Bergerac soit le bon. Et si ton pote en profitait pour tirer la couverture à lui...

REUX IN LOVE

Ira, ira pas ?

« Et pourquoi ce serait toujours à moi de faire le premier pas ? » La vie est injuste pour les garçons. C'est rarement la fille qui prend des risques. Alors que faire lorsqu'on est un grand timide ? « Quand je lui parle, je perds tous mes moyens. Le sang me monte à la tête et je suis aussi rouge qu'un tube de ketchup. » Dans ces cas-là, mieux vaut tenter la méthode dite « des petits pas ». Vas-y progressivement : un mot sympa, un geste délicat... Puis attends de voir ses réactions.

Trop pressé ?

« Si jamais je ne lui demande pas maintenant, elle risque de sortir avec un autre... » La concurrence est rude ! Mais ce n'est pas une raison pour se précipiter. Tu pourrais être trop entreprenant et la gêner. Tu es persuadé de l'aimer mais tu ne sais pas si c'est réciproque. Prends ton temps ! On n'est pas à la course à l'échalote. Et laisse-lui aussi le temps de réfléchir et de répondre à tes sentiments !

girl
LOVE

Kéké

« Eh ouais, c'est ma petite amie… » clames-tu en faisant le caïd, pectoraux gonflés. La pression des copains peut te pousser à sortir avec une fille pour faire genre. Sans être amoureux. Juste histoire de se vanter pour que les potes soient jaloux ! « Tu as vu avec qui il sort ! Il a trop de la chance. C'est la classe ! » Mais tu n'es pas au marché. Et ta copine n'est pas une pièce de viande fraîche ! Elle a un cœur, que tu peux blesser en jouant les faux amoureux.

Le plus important

Être amoureux, c'est ce qu'il y a de plus beau au monde. Oui, on sait, ça fait mièvre ! Tant pis ! Quand tu es amoureux, tu vis pleinement. Alors prends soin de l'amour. Respecte-le, fais-le grandir. Et les copains qui en rigolent ne savent pas ce qu'ils râtent !

C'est qui la fille à côté de toi sur la photo de classe ? C'est ton amoureuse ?

Maman

Voir aussi

Copine (petite)
Filles
Premier baiser
Puceau
Sexe

Elle ne m'aime pas ou elle en aime un autre ! Que faire ?

« Je suis attiré par elle, mais j'ai l'impression que c'est à sens unique… » Elle t'a déjà posé un râteau ou elle sort avec un autre ? Dans la grande majorité des cas, il vaut mieux lâcher l'affaire. L'amour nécessite d'être deux. Inutile de perdre son temps dans une relation impossible qui te fera souffrir.

ANTISÈCHES
Zeus
Héra
Athéné
Artémis
Aphrodite
Déméter
Apollon
Hermès
Arès
Héphaïstos
Poséidon
Hestia
dieux grecs
I am
You are
He is
We are
You are
They are
Antisèche rose fushia peu discrète. Attention !
Les fleuves français :
Rhin
Seine
Volga
NON
Rhône
Garonne
Loire
Danube
Non
O+O=
LA TÊTE À TOTO
Antisèche blague de copain !
médiatrice
bissectrice
médiane
90°
hauteur
- Mais Vous Travaillez Mal
mercure
Vénus
Terre
Mars
- Je Suis Un Nouveau
Jupiter
Saturne
Uranus
Neptune !

Antisèche pattes de mouche. Appuyer plus sur le stylo !
Antisèche de physique. On comprend rien...
(a+b)² = a² + 2ab + b²
(a-b)² = a² - 2ab + b²
(a-b)(a+b) = a² - b²
P = m × g
Em = Ec + Ep
Ec = 1/2 m v²
Ep = m g h
Mais où est donc Ornicar ?
CONJONCTIONS
1 × 9 = 9
2 × 9 = 18
3 × 9 = 27
4 × 9 = 36
5 × 9 = 45
6 × 9 = 56 54
7 × 9 = 62 63
8 × 9 = 72
9 × 9 = 81
10 × 9 = 90
Attention aux antisèches fausses !
Antisèche écrite très petit. Loupe indispensable !
Verbo essere
io sono
tu sei
egli è
noi siamo
voi siete
essi sono
Écriture très personnelle. Antisèche qui ne peut être utilisée que par celui qui l'a faite !
Tu sais que Laura elle aime Eustache ??
Petit mot de fille qui circule. Rien à voir !

ARGENT
IN THE POCKET

Nadal

« T'as pas dix balles ?
- Tu t'es mis au tennis ?
- Non, pourquoi ?
- Ah bon, je croyais !
- Toi, tu ne veux pas me prêter ta thune !
- Comment t'as deviné ?
- Je sais pas.
Quelque chose comme
ta mauvaise foi ! »

Services lucratifs

Voici quelques idées de choses à faire pour gagner un peu d'argent :
- Garder des enfants et jouer les super baby-sitters.
- Repeindre un mur, tondre la pelouse de tes voisins, désherber leur jardin.
- Faire du soutien scolaire auprès des plus jeunes...

 En avoir ou pas

Les uns reçoivent beaucoup d'argent de poche de leurs parents, les autres un peu moins, voire pas du tout. Peut-être que tes parents estiment qu'ils t'offrent tout ce qui est nécessaire et que tu n'as pas besoin de recevoir en plus de l'argent de poche.

 Bonne gestion

L'argent de poche n'est pas une obligation, un dû. Si tu as la chance d'en avoir, ne le dépense pas n'importe comment. Il est certain que si en un jour tu as dilapidé l'argent de tout un mois et que tu demandes une avance sur le mois prochain, tes parents vont tiquer. Cet argent, ils l'ont gagné, alors respecte leurs efforts. Montre-leur que tu gères bien tes sous, et ils continueront certainement à te faire confiance.

 Rapiat

Après, inutile de te transformer en Oncle Picsou et de compter tous les soirs pièces et billets de la cagnotte que tu as cachée sous ton lit. Être généreux, c'est important. Payer un coup à ses potes, cela leur fait plaisir, et à toi aussi ! Il faut donc trouver un juste milieu entre la cigale et la fourmi.

 Trop de choses

Halte à la consommation excessive ! C'est vrai, gagner de l'argent permet d'être plus autonome. Plus besoin d'aller réclamer auprès des parents pour se rendre au cinéma ! Mais ce jean dernier cri à 100 euros alors que tu en as trois dans ton armoire, est-ce bien utile ? Les bons commerciaux arrivent à te faire acheter ce dont tu n'as pas forcément besoin... Ne tombe pas dans le piège !

Les phrases à bannir

- **« Tu me paies combien ? »** Ne perds pas de vue l'acte gratuit. Rendre service à un ami ou à quelqu'un de sa famille, c'est une bonne chose.
- **« C'est pas mon argent, on s'en fout les mecs ! »** On a vite tendance à penser que l'argent des parents n'est pas le sien. Donc qu'on peut le dépenser sans trop réfléchir... Mais il ne tombe pas du ciel !
- **« Non, j'ai pas de thune pour toi ! »** Il arrive qu'un copain te demande de le dépanner. Vous voulez prendre un pot ensemble, mais il n'a pas d'argent sur lui. Tu ne vas pas sacrifier un bon moment à passer entre amis à cause de cela ? Il pourra te rembourser plus tard. Ou te payer un pot à son tour.

Voir aussi
Petits boulots
Potes
Respect

Une preuve d'intérêt

Tu en as parfois assez d'obéir ! Fais pas ci, fais pas ça, range ta chambre, fais tes devoirs, éteins la télé, va te coucher… Mais si tes parents t'imposent ces choses, c'est d'abord dans ton intérêt. Ils font attention à toi. Sinon, ils ne fatigueraient pas à te répéter plusieurs fois les mêmes directives ! Imagine des parents tellement laxistes qu'ils te laisseraient faire tout ce que tu voudrais. Tu serais perdu ! Tes parents sont là pour t'aider à connaître les limites à ne pas franchir afin de devenir un jour un adulte autonome et responsable. Un homme bien, tout simplement !

AUTORITÉ

AVENIR

BOULE DE CRISTAL, DIS-MOI TOUT...

Voyance

« Tu vois quoi dans ta boule ?
– Que tes cheveux vont pousser en mai, juin...
Que tu vas devoir ranger ta chambre et...
– Quoi ?
– Que tu vas perdre 50 euros ?
– Hein ?
– La voyance, c'est pas gratuit, mon pote ! »

FUTUR

Si les écrivains étaient des mages ?

Mieux que les pseudo-mages bidons, les écrivains de science-fiction et de romans d'anticipation ? Peut-être. Jules Verne, par exemple, avait imaginé le sous-marin sous sa forme moderne dans *Vingt Mille Lieues sous les mers* et les futurs voyages spatiaux avec *De la Terre à la Lune*. Plus fort que Nostradamus, non ?

Ça fait peur

Réussiras-tu à l'école ? Trouveras-tu une copine ? Auras-tu un métier plaisant ? Suffisamment d'argent pour manger, te loger, t'habiller et nourrir ta (nombreuse ?) famille ? Seras-tu gravement malade ? Personne n'en sait rien. Mais contre toutes les craintes concernant ton propre avenir, tu peux commencer par mettre la chance de ton côté. Tu ne vas pas avoir un super job, des muscles et des poumons d'acier si tu passes tes journées à gagner des matchs avec ton pouce en picolant et en fumant. Si tu veux être pop star, apprends ou joue de la musique. Athlète : mets un short et sors de ton salon.

Oui, mais...

« Oui, mais on ne fait pas toujours ce que l'on veut », te diront certains. Peut-être, mais si on n'essaie rien, il ne se passera rien. Et pour continuer dans les phrases un peu nunuches mais, zut, un peu vraies : ton avenir, c'est toi qui le crées (« Et "Qui vivra verra", on la met pas ? » Non, ça suffit comme ça.)

Et le monde ?

Concernant l'avenir du monde, les prévisions des scientifiques sérieux sont plutôt alarmistes. Ben alors, c'est foutu ? Tu ne peux rien faire, seul, pour contrer le réchauffement climatique, les injustices sociales, économiques ? Eh bien, si. Tout d'abord en agissant de manière respectueuse envers la planète et ses habitants et, pourquoi pas, en t'engageant dans des associations afin que ce qui va mal aujourd'hui aille mieux demain.

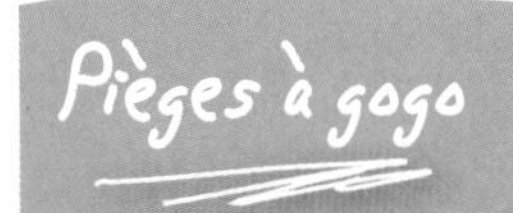

L'homme a toujours cherché à connaître l'avenir, plutôt en vain, même si des coïncidences heureuses ont pu exister entre des prédictions (souvent très vagues) et des faits réellement survenus. Voici quelques « techniques » censées dévoiler le futur : chiromancie (lignes de la main), astrologie (cours des astres), cartomancie ou taromancie (cartes à jouer, de tarot), numérologie (nombres), cafédomancie (marc de café). À savoir : la moquettologie (fumer la moquette pour dire n'importe quoi) est pratiquée par la plupart des voyants.

Ce soir, fais tes devoirs, range ta chambre et pas de télé ! Et si c'était moi la meilleure voyante de tout l'Univers !

Maman !

Too bad

Si tu te sens seul, que des idées noires, voire très noires te traversent l'esprit, ne t'enferme pas dans le silence. Essaie de parler avec tes parents, tes frères et sœurs, et tes potes. Ils sont tous là pour toi. Ils peuvent t'aider.

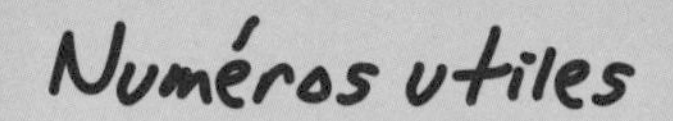

Numéros utiles

Tu peux aussi téléphoner à ces numéros :

SOS Amitié
01 42 96 26 26

Fil Santé Jeunes
32 24

Voir aussi
Solitude
Stress
Zen

« T'as vu ? Il a les dernières Adidos !

- Ouais.
- Et le dernier 502 !
- Ouais.
- Et un scooter 126 !
- Ouais. Normal. C'est le beau gosse et sa panoplie ! »

La mascotte

Lui, là-bas, au milieu de l'attroupement de filles, c'est le beau gosse. Tout le monde lui parle, l'écoute. Toi, à côté de lui, tu as vraiment l'impression d'être le vilain petit canard : à part tes potes, personne ne s'intéresse à toi.

Zéro défaut

Faut dire que le beau gosse, il assure un max. Il assure tellement que tu as l'impression qu'il n'est même pas humain et qu'il est tout droit sorti d'une série télé.

Le beau gosse, c'est le genre de mec qui ne sue pas, même en EPS, qui a toujours une blague pour faire marrer les filles (alors que les tiennes ne provoquent la plupart du temps qu'un petit haussement d'épaules de leur part), qui a des fringues parfaites et qui lui vont parfaitement. Et, pour que le tableau soit idéal, ses parents, ils sont trop sympas et ils lui donnent plein d'argent de poche.

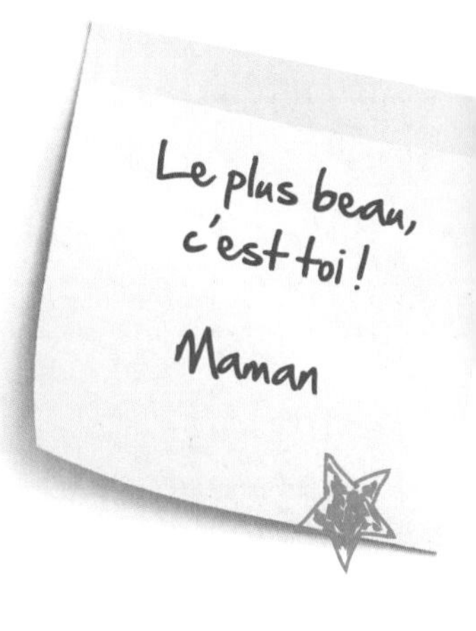

Pareil que toi

Tout ça, c'est peut-être vrai. Mais le beau gosse, il n'a rien de plus que toi, finalement. Ses vêtements ne valent pas mieux que les tiens, un jean restant un jean. Il n'est pas plus intelligent, pas plus sensible et même... pas plus beau. C'est juste une question d'attitude. Lui, il est à l'aise partout, il n'a pas peur de s'exprimer fort et de dire tout ce qui lui passe par la tête pour se faire remarquer. Toi, tu es plus timide, plus réservé et ce n'est pas plus mal ! Parce que le beau gosse, à force de parler à tort et à travers, il devient arrogant, prétentieux. Au bout d'un moment, il fatigue tout le monde parce qu'en fait on se moque de la marque et du prix de son pantalon. Et un beau jour, il se retrouve tout seul dans ses baskets, comme un *poor lonesome cowboy.*

Voir aussi
Abdos
Confiance
Corps
Sport

Simplicité et naturel

Parce qu'il ne faut pas oublier que la vraie beauté, ce n'est pas seulement l'apparence et la somme d'argent qui se trouve dans ton portefeuille. C'est bien plus que ça. Pour être beau, il faut juste que tu apprennes à t'assumer comme tu es avec tes défauts et tes qualités, bref, à être naturel et décomplexé. Sois toi-même, oublie un instant tes complexes, prends un peu soin de toi et, à ton tour, tu seras un beau gosse, un vrai !

« Nous étions à l'étude...

... quand le proviseur entra, suivi d'un nouveau habillé en bourgeois et... » Et oh ! là, là ! Tu n'as pas fini la première phrase de *Madame Bovary*, LE chef-d'œuvre du nommé Flaubert, que tes yeux te picotent, ton esprit vagabonde. Tu n'es pas du tout concentré sur l'histoire de cette Emma et songes plutôt à Léa, ta voisine de classe. Aïe, mal parti !

BOUQUINS

MADAME B. : EFFET TISANE ?

Changer de régime

Dormir est peut-être la solution pour ce soir. Mais avant d'éteindre ta lampe, pourquoi ne pas ouvrir cette BD qui te fait de l'œil ? Ou ce polar qui n'a pas l'air trop épais ? Ou le tome 1 de cette saga fantastique que t'a prêté ton copain Hugo ? Car les bouquins, ce n'est pas uniquement ceux que l'on t'oblige à lire en cours de français.

Pas de panique !

Tu connais de gros lecteurs et toi, tu lis peu. Ça te complexe, tu te dis que tu es définitivement inculte. Tranquille ! Chaque année, plus de 65 000 livres sont publiés en France (dont 5 000 BD). Autant dire que personne ne peut tout lire.

Arme fatale

Mais au fait, à quoi ça sert de lire ? C'est d'abord un loisir accessible à tous (voir « Bons plans ») et que tu peux pratiquer partout, depuis ton lit jusqu'à la plage – plus pratique que la console de jeux, non ? Puis en lisant, tu vas découvrir de nouveaux mots, de nouvelles idées, de nouveaux univers, que tu pourras réutiliser pour tes dissertations : plus tu auras d'idées et de vocabulaire, plus l'appréciation sur ta copie sera positive, favorisera la bienveillance de tes profs et de tes parents et, surtout, te donnera confiance en toi. Bien écrire, c'est ce que peut t'apporter la lecture : toujours utile lorsqu'on veut aborder, disons, tiens, par exemple, une fille qui te plaît. Une lettre bien tournée, c'est une « arme » plus efficace qu'une discussion sur le foot ou un compliment mal troussé.

Un roman, s'il vous plaît !

- Aldous Huxley, *Le Meilleur des mondes*
- Albert Camus, *L'Étranger*
- René Barjavel, *Ravages*
- John Steinbeck, *Des souris et des hommes*
- Daniel Pennac, *Au bonheur des ogres*
- Robert-Louis Stevenson, *L'Île au trésor*
- Lian Hearn, *Le Clan des Otori*
- Brandon Sanderson, *Alcatraz*
- Yves Grevet, *Méto*
- Boris Vian, *L'Écume des jours*

Voir aussi
Études
Liberté
Son

Bons plans

Ton anniversaire et Noël sont loin et ton porte-monnaie crie famine ? Comment te procurer le livre qui te fait envie, lire la suite de la série dont tu es accro ? Certaines librairies permettent de lire sur place : pas mal pour les BD ! Sinon, partout en France il existe des bibliothèques ; si elles n'ont pas le livre que tu cherches, beaucoup peuvent le commander.

BOUTONS

L'ECZÉMA TRANQUILLE AVEC MES BOUTONS !

Calculette

« J'ai oublié ma calculatrice ! Ça va pas le faire pour le contrôle de maths !
- Ben tape sur ton front !
- Quoi ?
- Vu les boutons que t'as, tu devrais t'en sortir !
- Ben sympa, dis donc ! »

Voir aussi
Beau gosse
Confiance
Corps

Bouton, quand tu nous tiens !

Tu as tout essayé : le col roulé remonté jusqu'au front, le masque de Mickey (mais en cours, tu as dû l'enlever), le fond de teint de ta mère genre j'ai fait des UV, les cheveux rabattus sur le visage type hard rocker, mais rien n'a marché ! Il a bien fallu te rendre à l'évidence, tu as des boutons et ils se voient !

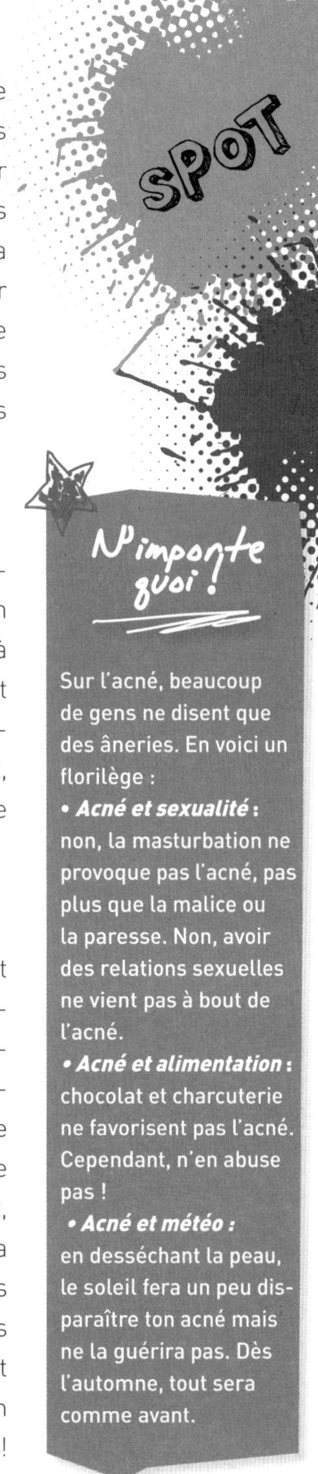

Si petits mais... si voyants

Pas facile d'avoir des boutons. Tu ne vois qu'eux, tu ne penses qu'à eux, tu es persuadé que l'humanité entière les regarde et les trouve horribles. Sans compter que le rasoir n'arrange rien à l'affaire... et que tu ne peux pas toujours sortir avec un sac sur la tête. Toutefois, et même si cela ne va pas te consoler, tu n'es pas le seul à devoir endurer ça ; tu fais juste partie des 80 % d'adolescents qui ont de l'acné. Pour certains, il ne s'agit que de quelques boutons localisés, sur le menton ou le front, pour d'autres, c'est plus embêtant.

Pourtant, avoir de l'acné à ton âge, c'est tout à fait normal. Les hormones sexuelles masculines en ébullition en sont responsables. Elles favorisent un excès de sébum à la racine des poils qui obstrue les pores de la peau. C'est alors qu'apparaissent les points noirs qui peuvent se métamorphoser en boutons, voire en pustules. Heureusement, avoir des boutons n'empêche pas d'avoir une vie sociale épanouie, des super potes et plein de copines.

Bientôt, tout sera oublié

Dans la plupart des cas, l'acné disparaît comme elle est venue. Mais si elle persiste, il existe de nombreux traitements permettant de la traiter: gels et crèmes à application locale ou gélules. Parles-en simplement à un dermatologue, il saura te conseiller et trouver le meilleur remède pour retrouver ta peau de bébé. Mais, surtout, n'essaie pas de supprimer tes boutons en les triturant, grattant, coupant, pressant : charcuter ainsi ton visage produira des cicatrices que tu risques de garder toute ta vie. Puis n'oublie pas qu'une vie saine permet d'éviter en partie tous ces petits problèmes de peau : fatigue, stress et tabac sont tes ennemis. Alors oublie tes boutons, tout le monde s'en moque ; bientôt ils ne seront plus qu'un mauvais souvenir !

N'importe quoi !

Sur l'acné, beaucoup de gens ne disent que des âneries. En voici un florilège :

- ***Acné et sexualité*** : non, la masturbation ne provoque pas l'acné, pas plus que la malice ou la paresse. Non, avoir des relations sexuelles ne vient pas à bout de l'acné.
- ***Acné et alimentation*** : chocolat et charcuterie ne favorisent pas l'acné. Cependant, n'en abuse pas !
- ***Acné et météo :*** en desséchant la peau, le soleil fera un peu disparaître ton acné mais ne la guérira pas. Dès l'automne, tout sera comme avant.

« Ben si maman c'est rangé !
- Tu plaisantes, là !
- Demande-moi un truc,
je te le trouve dans la minute !
- Ton carnet de notes !
- Ah ben c'est-à-dire que... le chien l'a mangé ! »

C'EST QUOI BRONX

1. Planche de surf. Devenue élément de décoration intérieure.
2. Un roller. Mais où est l'autre ?
3. Chaussette orpheline et sale.
4. Peut-être sa petite sœur.
5. Lit pas fait et qui malheureusement ne se fait pas encore tout seul.
6. Pantalon qui se repasse tout seul, lui sur une chaise.
7. CD visant à éloigner les oiseaux. Mince, y en a pas !
8. Canettes de cola en voie de décomposition avancée.
9. Livres pas ouverts. À ouvrir un jour.
10. Skate. Arme de destruction massive quand on se lève la nuit pour aller aux toilettes.
11. Genouillères qui vont avec n°2, le roller.
12. Vieux cartable de l'école primaire. Fait partie de l'exposition permanente.

CE BINZ !

Concept...

« T'es coiffé, là ?
– Ben oui ! Ça m'a même pris une demi-heure ce matin ! Tu connais pas l'effet coiffé-décoiffé ?
– Non, là, t'es juste pas coiffé !
– Si, je suis coiffé, mais avec un effet décoiffé.
– OK, c'est trop "concept" pour moi, ton truc ! »

CHEVEUX

TEMPÊTE SUR UN CRÂNE !

Cheveux dans le vent ou boule à zéro ?

Tes cheveux, ils en disent long sur toi et ta personnalité, autant que tes vêtements. Si tu veux avoir l'air rebelle, tu ne choisiras pas la même coupe que si tu veux être à la mode, avec la mèche qui va bien ; coupe longue, courte, en brosse, avec des mèches ou des dreadlocks, crêtes, pics, effet mouillé, avec du gel, rasés, ébouriffés... Tu peux tout faire et tout oser avec tes cheveux. Il faut juste que tu trouves une coupe qui corresponde bien à ta personnalité et qui mette en valeur les traits de ton visage.

Mon chéri,
Je t'ai acheté du gel pour coiffer ta tignasse.
N'hésite pas à l'utiliser.
Maman

Propreté obligatoire !

Tes cheveux peuvent donc prendre la forme et la longueur que tu veux. Ils doivent obéir à un seul principe : rester propres. Avoir les cheveux gras, c'est vraiment pas la classe... c'est comme porter ton tee-shirt de la veille qui empeste. Et les filles, elles n'aiment pas ça, les cheveux gras !

Attention, fragiles !

Mais les cheveux, tu as dû le remarquer, c'est fragile : la pollution, le soleil, la fatigue ou le stress les agressent et les salissent constamment. Du coup, il faut en prendre un minimum soin. La solution, c'est de les laver régulièrement, avec un shampooing adapté, au pH neutre de préférence, c'est moins agressif. Fais attention aussi aux produits que tu mets dessus, comme le gel ou les colorants (on ne sait jamais, si tu as envie d'une crête bleue) qui peuvent être très nocifs.

Voir aussi
Beau gosse
Douche
Look

Et plus tard ?

En vieillissant, il y a ceux qui perdent leurs cheveux, tout ou en partie, et les autres. Tout ça, c'est génétique et c'est la faute aux hormones, tu ne peux pas faire grand-chose pour le contrôler ni l'enrayer. Si, dans ta famille, tous les hommes conservent une masse capillaire fournie avec l'âge, il y a peu de risque que tu te retrouves sans un cheveu sur le caillou. Si, à l'inverse, les hommes de ta famille sont dégarnis, tu risques de l'être aussi. L'avantage, c'est que, de nos jours le cheveu ras se porte très bien.

HAIR

MOVIE

« On va voir quoi ?
- Il y a des filles avec nous ?
- Non, on est juste entre mecs !
- Bon, go ! N'importe quoi avec de l'action, des bagnoles, des courses-poursuites... »

CINÉMA

ET SI ON SE FAISAIT UN CINÉ ?

Quand tu es avec un groupe de potes au cinéma, n'oublie pas un truc : vous n'êtes pas tout seuls et vous n'êtes pas chez vous ! Alors les commentaires à voix haute, le gobage de pop-corn ou son jet intempestif dans la chevelure de la dame du deuxième rang, les conversations téléphoniques, les rires gras et sonores, on oublie.

« Ce soir, j'emmène une fille au cinéma. J'espère bien conclure ! » Le ciné, un endroit idéal pour un rendez-vous galant ? Oui, mais à certaines conditions : que le film soit bon (il peut faire un peu peur, la fille se pelotonnera dans tes bras), que vous soyez deux et pas cinq avec tous les potes qui vous regardent et commentent l'avancée de vos étreintes, et que tu oses, avant le générique de fin, lui prendre la main !

Plutôt version originale ! Imagine le film *Bienvenue chez les Ch'tis* en anglais. Ce serait ridicule. Eh bien, c'est la même chose pour les films étrangers en version française. Regarde la plupart des séries américaines ! C'est mieux en anglais sous-titré. L'esprit de la série n'est jamais trahi car les dialogues sont authentiques. En plus... cerise sur le gâteau, *the icing on the cake*, ça te fait travailler l'anglais ! Au bout d'un moment, tu n'auras même plus besoin de lire les sous-titres, tu seras *absolutely bilingual !*

Liste des films à voir

Horreur : *28 jours plus tard* de Danny Boyle, *La Nuit des morts-vivants* de George A. Romero, *Halloween* de John Carpenter, *Shining* de Stanley Kubrick

Westerns : *Impitoyable* de Clint Eastwood, *Le Bon, la Brute et le Truand* de Sergio Leone

Avec une fille : *Le Patient anglais* d'Anthony Minghella, *Titanic* de James Cameron, la série des *Twilight*

Espionnage : les *James Bond*

Aventure : la série des *Indiana Jones* de George Lucas, la série des *Pirates des Caraïbes*, *Le Seigneur des anneaux* de Peter Jackson, *Gladiator* de Ridley Scott

Fantastique : *Alien* de Ridley Scott, *Terminator* de James Cameron, *Predator* de John Mc Tiernan

Polars : *Les Infiltrés* et *Shutter Island* de Martin Scorsese, *Pulp Fiction* de Quentin Tarantino

De gangsters : *Les Affranchis* de Martin Scorsese, *Snatch* de Guy Ritchie, *Heat* de Michael Mann, *American Gangster* de Ridley Scott, *Le Cercle rouge* de Jean-Pierre Melville

De guerre : *Platoon* d'Oliver Stone, *Apocalypse Now* de Francis Ford Coppola, *Voyage au bout de l'enfer* de Michael Cimino

Drames : *Into the Wild* de Sean Penn, *La Liste de Schindler* de Steven Spielberg

Science-fiction : *La Guerre des étoiles* de Georges Lucas, *Matrix* de Andy et Larry Wachowski, *Inception* de Christopher Nolan

Comiques : *Dumb et Dumber* de Peter Farrelly, *Very Bad Trip* de Todd Phillips, *Le Père Noël est une ordure* de Jean-Marie Poiré, *Scary movie* de Keenen Ivory

Classiques : la trilogie du *Parrain* de Francis Ford Coppola, *Psychose* d'Alfred Hitchcock, *Spartacus* de Stanley Kubrick

De Kung-fu : *Tigre et dragon* de Ang Lee, les films de Jackie Chan

Elle me fait de l'œil...

La soirée d'Amélie est d'enfer, il y a plein de jolies filles, mais tu t'ennuies comme un rat mort parce que tu ne sais pas danser. Du coup, pour te donner une contenance avec tes potes, tu squattes le buffet, les cacahouètes et tu lorgnes le paquet de cigarettes de ton copain...

CLOPE

TU M'EN FILES UNE ?

Ça plaît au filles

Pas la clope, non ! Bonjour l'haleine ! Non, ce qui leur plaît, c'est le garçon sûr de lui qui dit: « La clope, très peu pour moi, merci ! » Eh non, les filles n'aiment pas les moutons !

Juste une ?

Tous les vieux fumeurs te le diront : la cigarette, ça commence toujours comme ça. Pour ne pas avoir l'air bête, pour faire comme les copains, on s'en grille une petite. La clope, ça rassure, ça pose un homme, ça soude une tribu. Au début, pourtant, il faut s'accrocher, ça demande du courage : le goût est infect, parfois on tousse, on crapote. Parfois, on a la tête qui tourne quand la nicotine passe dans le sang.

De la clope au paquet

Mais à force de taxer tes copains les uns après les autres, tu passes vite pour celui qui abuse. Donc, tu t'achètes un paquet. Bingo ! Ça y est, l'industrie du tabac est en liesse : tu viens de tomber dans le panneau !

Pourquoi, mais pourquoi ?

Pourtant, depuis que tu es tout petit, on te rebat les oreilles avec les dangers du tabac : ça donne le cancer, ça encrasse les poumons, ça provoque des crises cardiaques, ça bouche les artères, ça rend impuissant. On l'écrit en énorme sur les paquets, on y met même des photos terribles, on dépense des millions en campagnes de pub. En vain. À croire qu'il n'y a pas que vos artères qui sont bouchées, les gars !

En France, un tiers des personnes de 12 à 75 ans fume de manière régulière ou occasionnelle. 9 % des 12-14 ans fument, 41 % des 15-19 ans et 48 % des 20-25 ans. Les jeunes fumeurs commencent vers 14 ans et demi et ils deviennent des fumeurs réguliers vers 16 ans. En France, le tabagisme est la première cause de mortalité évitable. Chaque année, il est responsable de 66 000 décès !

Hé, cow-boy !

D'accord, c'est tentant d'essayer. D'avoir l'air d'un cow-boy viril devant les filles, tout droit sorti des plaines infinies du Far West. Et puis, on arrête quand on veut, n'est-ce pas ? Mais bien sûr, d'ailleurs, tous les vieux fumeurs à l'haleine de chacal, au teint gris et aux dents jaunes te le diront : ils arrêtent quand ils veulent ! Comme ça, en plus, ils feront des économies ! Ben oui ?

Oups, boulette !

Certains se croient à l'abri de la dépendance à la cigarette, parce qu'ils n'en fument qu'avec du cannabis... Erreur ! La nicotine rend dépendant, mélangée ou non au cannabis. Fumer des joints est une triste porte d'entrée vers la dépendance à la clope. Avec d'autres problèmes, encore plus graves, qu'on te décrit dans l'article « Fumette ».

Ben non !

On n'arrête pas la cigarette comme on veut. Les gros malins de l'industrie du tabac ont mis plein de substances chimiques dedans, en plus de la nicotine, pour fidéliser la clientèle. Allez, on joue à se faire peur ? Alors, dans la clope, il y a entre autres de l'acétone (un dissolvant), de l'ammoniac (le détergent de ta grand-mère), du monoxyde de carbone (qui sort des pots d'échappement), du butane et même de l'arsenic, un poison très puissant... Que des bonnes choses, quoi !

Donc ?

Il vaut mieux ne pas commencer ! Et peut-être imaginer d'autres moyens de te sentir bien en soirée, devant les filles, avec tes potes (en sachant que l'alcool, c'est pas non plus une bonne idée !). En trouvant des moyens de décompresser, aussi. Du sport, de la musique qui défoule, un bon plan ciné.

Voir aussi

Drogue
Fête
Fumette
Liberté

Un peu de culture

C'est Christophe Colomb qui ramena le tabac en Europe. Il était alors réservé aux plus fortunés et on lui prêtait des vertus médicinales ! Ce n'est qu'en 1843, avec la création et l'industrialisation de la cigarette, qu'il s'est répandu dans toute la société.

Accro ?

Tu peux te faire aider pour décrocher en appelant Tabac Info Service au 3989.

Addict

CONCERT

QUAND LA MUSIQUE EST BONNE !

Veinard

« Dis donc, j'ai vu Justin.
- Juste un quoi ?
- Justin Pépère, tu sais. Il donnait un concert hier.
- Non, dingue ! Tu y es allé ? Tes parents étaient d'accord ?
- Ben non ! Mais je crois qu'il dormait à l'hôtel à côté de chez nous et je l'ai croisé à la boulangerie. Deux croissants même, qu'il s'est offert ! »

Pas pareil !

Voir ses idoles et entendre un groupe qu'on adore, c'est de la balle. En plus d'entendre un son live qui n'a rien à voir avec ceux des albums (où tout est surmixé, où les morceaux sont chronométrés, toujours pareil), tu pourras chanter avec le public, comme au stade ! Et danser ! Et crier sans que personne vienne te le reprocher : mieux que le salon de la maison, donc.

Fan malin

Te voilà possesseur d'un billet. Pour ne pas te retrouver en caleçon, sourd et éborgné par un vigile ou un dingo, reste loin des hystériques, refuse la drogue ou l'alcool si on t'en propose, ça t'évitera de faire n'importe quoi, de te faire dépouiller à la sortie ou de te faire vider de la salle *manu militari*. Éloigne-toi également des enceintes, à moins d'avoir pensé aux bouchons d'oreilles (voir « Son »). Et oublie à la maison tes objets les plus précieux : on te bouscule, un pied qui danse, adieu téléphone...

N'oublie pas,
on va voir les
Black Eyed Peas,
ce soir ! Cool !
Papa

N'oublie pas, on va
écouter le Requiem
de Mozart
demain soir !
Bonne journée,
mon chéri.
Maman

Festivals

Toute l'année (surtout l'été), les festivals musicaux permettent de se rendre à de nombreux concerts. Les Vieilles Charrues, Solidays, Rock en Seine, Le Printemps de Bourges, Les Francofolies de la Rochelle, Les Eurockéennes de Belfort, par exemple. Leur durée varie de un à plusieurs jours. Certains sont spécialisés rock, classique, électro... Pour le prix (et parfois moins) d'une place dans une grande salle, tu peux entendre plusieurs groupes. Si tu n'as pas les moyens et que le festival a lieu dans ta commune, essaie de contacter les organisateurs et propose d'être bénévole : un moyen sympa pour assister aux concerts, en bossant un peu et en rencontrant les musiciens.

MUSIC
15:43
FRIENDS

100 % gratos

Pas de thunes, mais envie de concerts ? La Fête de la musique, chaque 21 juin, permet d'assister partout à des spectacles gratuits, aussi bien de stars (sur des podiums) que d'amateurs (dans la rue, les bistrots). Le reste de l'année, des concerts gratuits sont donnés dans des bars, des petites salles ou sur des places (lis ton journal local ou les « gratuits » consacrés à la culture). En ville, tu pourras aussi guetter les miniconcerts (dits « showcase ») proposés dans certaines boutiques (Fnac, Virgin, etc.) ou dans les studios des radios.

Voir aussi

Son

Réduc

Si tu peux t'offrir des billets, achète-les de préférence à l'avance (sur Internet, dans les grandes surfaces) : les réservations sont souvent moins chères que les places prises au guichet le soir du concert. Et tu éviteras ainsi de venir pour rien si le spectacle affiche complet.

Fétichiste

« Cool. C'est à quelle heure le concert ce soir ?
– J'en sais rien, j'y vais pas. Il paraît qu'à l'entrée ils déchirent les billets. Moi, je veux garder le mien. Et l'encadrer. »

CONFIANCE

CROIS EN TOI !

Au tableau !

Ton prof de maths a la mauvaise idée de t'appeler au tableau. Objectif ? En découdre avec un triangle. Problème : hier soir, le match de foot à la télé était plus fun que la conversation de Messieurs Pythagore, Thalès et compagnie... Les spectateurs te font face. Ils te regardent te débattre avec ton ennemi à trois côtés et sont bien loin d'être tes supporters...

Mais pourquoi moi ?

Alors, tu commences à rougir et tu te dis que tu passes un sale quart d'heure. Les copains rigolent et le prof ne semble pas vouloir suspendre le supplice. Sueur froide, puis chaude, voix tremblante... les symptômes du stress et de la perte de confiance sont là. Tu aurais bien aimé briller devant la plus jolie fille de la classe ? C'est raté !

Ne fais pas le timide !

La confiance en soi n'est pas un acquis. Les premiers de classe peuvent aussi douter de leur savoir et les beaux gosses... de leur talent de séducteur ! Fais comme eux, ne laisse pas la timidité te bloquer et t'empêcher d'agir avec naturel et simplicité : « Cette fille me plaît tellement, mais je suis sûr qu'elle me trouve sans intérêt. Je n'oserai jamais l'aborder. » Tu es pourtant quelqu'un de bien ! Écoute ce que tes amis et ta famille disent de toi. Ils sont sûrs de tes talents ! Sois-le aussi !

Relativise les enjeux !

Tu as trop tendance à te mettre la pression tout seul. Tu as le trac de passer devant toute une classe pour présenter cet exposé ? Prends ta respiration, souffle... et fais abstraction du public en imaginant que tu parles à ton petit frère ! Si ton public est moqueur, alors imagine qu'ils sont dans une position qui n'est pas à leur avantage : par exemple, assis sur la cuvette des toilettes !

Voir aussi

Avenir
Bad
Beau gosse
Stress
Zen

Ce qui plaît aux filles

Les filles ne sont pas fans des gros durs insensibles. Elles apprécieront tes faiblesses si tu es capable de les assumer et de ne pas te prendre la tête ! Tu rougis quand tu parles à cette fille ? Elle trouvera sûrement ça mignon et sera sensible à ton charme !

Échange de bons procédés

Si un pote passe au tableau, évite de te moquer de lui ! Question d'amitié. Lui aussi manque peut-être de confiance en lui. Tu n'es pas le seul à douter. Mets-toi juste à sa place !

Tu es formidable, mon fils !

Maman

Ensemble, c'est tout !

Déjà deux mois que tu sors avec Lola ! C'est vrai, elle a un peu bouleversé ta vie de vieux (?) garçon. Le midi, vous mangez ensemble. Vous profitez des pauses pour vous retrouver. À la fin de la journée, vous vous donnez rendez-vous à la sortie des cours. Difficile de gérer ce nouvel emploi du temps de ministre ! Tes potes te le font bien remarquer, d'ailleurs...

C'est fini !

Tu es malheureux. La rupture te fait mal, tu te sentais bien avec elle. Que te dire, sinon qu'il faut du temps pour que la souffrance s'apaise, et que tes amis pourront t'écouter et t'aider à traverser cette épreuve.

Avant ?

Tu as troqué les manettes de jeux vidéo contre des balades main dans la main. Tu fais attention à ce que tu portes : le vieux jean et ses ancestrales baskets assorties, out ! Tu soignes ton langage, tu as remballé tes blagues Toto et pipicaca qui faisaient rire les copains (enfin pas toujours !). Pire encore : ta petite amie a des copines... Tu dois désormais affronter les interminables conversations de filles alors qu'on cause sérieux à côté : de foot !

GIRL FRIEND

Les copains d'abord ?

Elle souhaite certainement te voir tout le temps. Ça peut vite devenir oppressant... Dis-le-lui délicatement, sans qu'elle se vexe. Une copine ne veut pas dire « plus de copains » ! Continue à voir tes amis, et elle les siens. Il ne s'agit pas d'avoir une relation fusionnelle où chacun étouffe l'autre. L'amour n'est pas une prison.

Aimer et se sentir aimé

L'amour, c'est compter pour l'autre et qu'il compte pour toi. C'est se sentir meilleur, plus beau, plus intelligent, plus tout. C'est avoir des défauts, mais être aimé quand même. Et aimer les imperfections de l'autre. L'amour, c'est la confiance et la sincérité. Même si ça fait un peu nunuche et que cette liste donne envie de sortir les violons !

Les 10 commandements avec sa copine

1) On ne prête pas sa copine aux copains.
2) On ne couche pas avec elle juste pour savoir ce que ça fait.
3) On ne sort pas avec une fille pour rendre jaloux ses copains.
4) On ne trompe pas sa copine.
5) On n'expose pas sa copine comme un trophée.
6) On ne manque pas de respect à sa copine.
7) On ne raconte pas à ses potes ce qu'on fait avec sa copine.
8) On se tient correctement avec elle.
9) On est franc avec sa copine et on lui dit la vérité.
10) On lui fait confiance.
Et ça devrait marcher...

Il faut que je rompe

Ne fais pas semblant que tout va bien. Elle est en droit d'attendre que tu lui dises la vérité les yeux dans les yeux. Sois sincère, sans être méchant ! Il y a rarement un moment idéal. Cette démarche exige de ta part une grande délicatesse. Évite de faire l'annonce au téléphone ou par e-mail. Encore moins d'écrire sur ton profil Facebook « célibataire, simple, bien dans sa peau et dans sa tête ».

Je n'ai pas de copine, et alors ?

Chacun son rythme. Il y a des garçons précoces qui sortent très jeunes avec des filles. Mais cela n'augure rien pour l'avenir ! Tu peux très bien ne pas avoir de copine pendant l'adolescence et pourtant rencontrer le grand amour à 20 ans ! Ou à 30 !

« Ouh les amoureux ! »

Tes potes se moquent, te disent que tu as changé, que vraiment tu es ridicule avec cette fille. Laisse-les dire. Ils en rêvent aussi, d'avoir une petite copine, c'est tout !

Voir aussi
Amoureux
Confiance
Filles
Premier baiser
Puceau
Sexe

CORPS

UNE BIEN BELLE MACHINE !

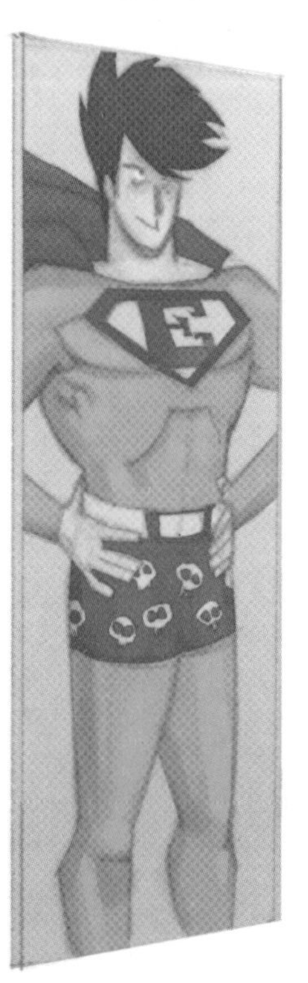

« 200 os, 640 muscles,
5 litres de sang,
un cerveau de plus de 1 kilo.
Qui suis-je ?
- Un dinosaure ?
- Ben non, toi, gros malin !
- Pas possible ! »

Soin du corps

Ton corps est irremplaçable. Impossible de le réparer comme on change un pneu. Tout fonctionne et pour que ça dure, une seule règle : en prendre soin. Oublie l'excès, c'est ainsi qu'on se bousille la santé. Fumer et boire, ça tue à petit feu. Dommage d'abîmer le cadeau de Dame Nature pour des bêtises, non ? Ton corps, il faut que tu apprennes à l'écouter et à en connaître les limites. Il dit « Stop » ? C'est qu'il y a une raison ; trop de fatigue, trop de stress, pas assez d'exercice... Dors bien, mange bien (la pizza froide au petit déj, pas terrible) et tu lui rendras déjà service !

Direction la douche !

La première impression que les autres ont de toi se forme sur ton physique. Alors, inutile de te dire que si ta dernière douche date d'une semaine au moins, tu ne vas pas te faire que des amis. Les filles, on n'en parle même pas ! Avoir une bonne hygiène est essentiel (corps, dents, oreilles, et même derrière les oreilles !). Non, non, l'eau ne fait pas rouiller ta carcasse et la salle de bains n'est pas un territoire réservé aux girlettes ! Allez, vite à la douche, qui en plus de te faire sentir bon chasse les vilaines bactéries.

Pudique ?

À la piscine, pas évident de s'exhiber en maillot de bain devant toute ta classe... Pourtant, tu n'as pas le choix : impossible de nager tout habillé. C'est interdit et en plus, tu coulerais à pic ! C'est normal d'être pudique : personne ne sort tout nu dans la rue. Il y a ceux qui sont en col roulé-pantalon sur la plage en plein été et ceux qui se mettent torse nu pour un oui, pour un non. À toi de trouver un juste milieu entre ces deux attitudes et de décider à qui tu te montres dans l'intimité.

Voir aussi

Alcool
Douche
Drogue
Fatigue
Look
Morfale
Stress
Vestiaires

Complexes

Tu passes devant un miroir, tu te demandes si t'es assez ci ou assez ça. Trop gros ? Trop grand ? Trop petit ? Des complexes, tout le monde en a, même le beau gosse du collège. Rassure-toi, personne n'est parfait ! Et pour être bien dans ta peau et dans ta tête, la meilleure solution est de prendre soin de ton corps !

Dis donc, c'est toi qui m'as piqué mon déo ?
Papa

Tu es beau, mon fils !
Maman

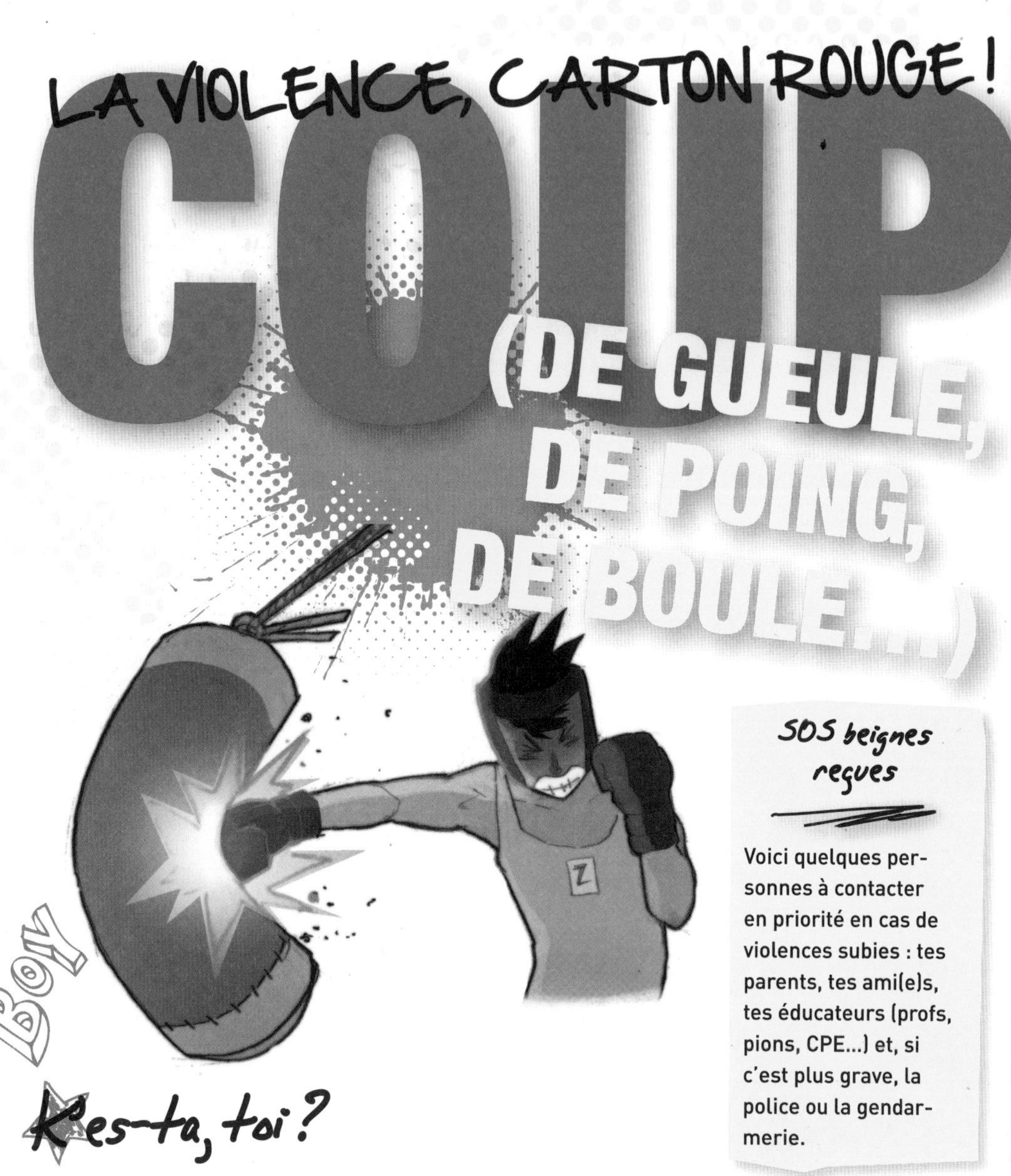

SOS beignes reçues

Voici quelques personnes à contacter en priorité en cas de violences subies : tes parents, tes ami(e)s, tes éducateurs (profs, pions, CPE...) et, si c'est plus grave, la police ou la gendarmerie.

K'es-ta, toi ?

« Hein ? Comment ? Non mais j'y crois pas, il a frôlé ma parka. Tu dis ? J'entends pas ? On va s'expliquer, c'est ça ? OK, viens là. Tiens, prends ça ! Qu'est-ce que t'as, hein ? T'en veux encore ? Quoi ? Tu me tapais sur l'épaule pour dire quoi ? J'comprends rien avec tes dents cassées. Ah bon, tu voulais me féliciter pour les deux buts que j'ai marqués samedi dernier. Trop bête, j'avais pas capté. »

Une solution sans avenir

Comment en arrive-t-on aux coups de boule, de poing ou de gueule ? Une incompréhension, une embrouille que l'on ne réussit pas à dénouer avec des mots et les cris dégénèrent en castagne : souvent un manque d'explications et d'intelligence. Mais attention ! Il ne s'agit pas non plus de se laisser faire. Si toi ou quelqu'un de ton entourage êtes victimes de violence, pas question de subir ni d'avoir honte. Et si tu n'as pas la possibilité de te défendre physiquement, il y a des gens pour t'aider.

Baston autorisée ?

Si tu sens souvent l'envie incontrôlée de distribuer des coups, il existe des solutions avant de te retrouver au commissariat. Une des meilleures thérapies consiste à pratiquer un sport, notamment un de ceux que l'on dit « de combat » (boxe, judo, karaté). Ils te permettront d'évacuer ton agressivité et t'apprendront à la canaliser afin que ta force ne serve qu'à la défense, de toi ou d'une personne agressée. D'une brute et d'un bourrin que tu étais, tu vas te métamorphoser en super pote ou chevalier : bien mieux pour toi et ton entourage.

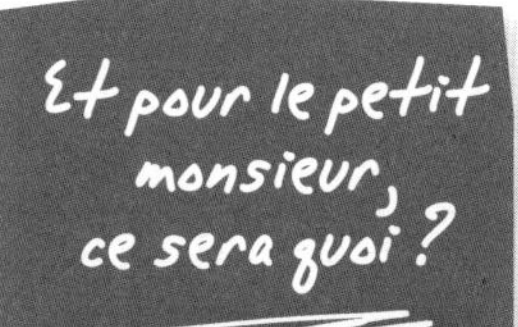

Un coup de foudre, plutôt. Sinon rien. Quant aux gnons, beignes, pêches, pains, bourre-pif, marrons ou châtaignes, autant de synonymes amusants de « coup de poing » à consommer de préférence et alors sans modération dans les dialogues de films ou les romans policiers.

C'est pas la classe

De nombreuses femmes ont été et sont victimes de violences conjugales (au sein de leur couple) : une sur dix selon les statistiques. Le mâle aurait-il ce fâcheux penchant qui consiste à profiter d'une certaine supériorité physique pour frapper plus petit que soi, d'être, en résumé, nul et lâche ? À toi de rendre *has been* cette triste caractéristique masculine.

Voir aussi

Courage
Homme
Maltraitance
Zen

Génétiquement courageux

Depuis que tu es tout petit, on te l'a tellement répété que ça doit être gravé dans l'ADN de tes oreilles : un garçon, ça ne pleure pas ! Un garçon, c'est courageux !

Dégonflé, va !

Ou alors tu te déballonnes devant les super défis lancés par les copains : avaler sans frémir une araignée bien velue, grimper sur le toit du collège, siffler cul sec une bouteille de vodka... Mais rassure-toi : ça, ce n'est pas du courage. Au mieux, c'est risible. Au pire, c'est de l'inconscience pure !

Spécial intello

Un peu d'étymologie pour clouer le bec aux petites frappes. Courage vient du mot latin *cor* qui signifie « cœur ». Le courage, ça n'a donc pas grand-chose à voir avec les muscles ou ce qu'on a entre les jambes.

Ça plaît aux filles

Les filles aiment les hommes courageux. Rambo avec ses gros muscles qui tire sur tout ce qui bouge en hurlant comme un gorille, très peu pour elles. D'ailleurs, pour preuve, il est tout seul, Rambo, dans sa jungle. Alors que Cyrano portant des lettres d'amour à sa belle Roxane sous le feu des canons, ça, ça a du panache ! Ça, c'est vraiment courageux ! Et les filles, ça les fait craquer !

Jackass

Tant qu'à risquer sa vie, autant que ce soit pour une raison valable. Les gars des forces spéciales qui délivrent des otages dans des pays en pleine guérilla sont des héros. Ils risquent leur vie pour en sauver d'autres. Les fans de *Jackass* qui se brûlent au troisième degré en sautant au milieu des flammes avec leur survêt en viscose sont juste des abrutis.

Collègeman !

Bon d'accord, à première vue, ce n'est pas facile de faire preuve de courage quand on est taillé comme une allumette et qu'il n'y a pas de bombes ou de terroristes sur le chemin du collège. Pourtant, tu as tous les jours, sans t'en rendre compte peut-être, l'occasion d'être courageux comme un lion.

No way...

Dire ce que tu penses, même si tu sais que tes copains ne sont pas d'accord, c'est du courage. Te moquer du regard des autres, c'est du courage. Prendre la défense de tes potes, c'est naturel, mais prendre la défense de quelqu'un dont tout le monde se moque, à ton âge, ça demande un sacré cran ! Et parler à cette jolie fille, droit dans les yeux, même si tu es rouge, eh bien ! c'est carrément héroïque. Alors, sois un lion, sois courageux !

Voir aussi
Confiance
Liberté
Potes
Tribu

COURAGE

DIEU TOUT-PUISSANT

Dialogue de sourds mystiques

« T'y crois, toi ?
– Ça va pas, non. J'ai passé l'âge pour ce genre de fables.
Tu ne vas pas me dire que tu ne sais pas !
– Quoi ?
– Que le Père Noël n'existe pas !
– Tu parles d'un scoop. De Dieu, je parlais,
ou de Yahvé, d'Allah comme tu voudras. »

Attention, ce sont des chiffres approximatifs. Et il ne s'agit pas de savoir qui gagne, on ne veut pas déclencher une guerre.

Chrétiens (catholiques, protestants, orthodoxes) **:** 2 milliards

Musulmans : 1,3 milliards

Juifs : 14,5 millions

Hindouistes : 840 millions

Bouddhistes : 380 millions

On n'est pas couchés !

Plus de 200 dieux. C'est le nombre approximatif de divinités honorées dans la Grèce antique. Pas sûr que chacun d'entre eux ait été gratifié d'une prière chaque soir...

Attardés ?

Croire en un dieu, pratiquer une religion, n'est-ce pas *has been* ? À l'heure où les scientifiques expliquent chaque phénomène (ou presque), penser qu'une puissance surnaturelle et créatrice existe et préexiste à notre Univers, n'est-ce pas complètement idiot ? Non, à moins de considérer que la moitié des hommes sur cette planète est décérébrée ou immature, ce qui semble improbable. La force et le dynamisme des religions dans le monde actuel tendraient plutôt d'ailleurs à démontrer un mariage compatible entre la modernité et Dieu.

Mais c'est dangereux

Les premières traces de l'histoire de l'humanité indiquent que les hommes ont toujours et presque partout honoré un (ou des) dieu(x). Existe-t-il pour autant ? Impossible de l'affirmer ou de l'infirmer. Il s'agit d'une affaire personnelle qui s'appelle la foi. Un non-croyant ne peut prouver l'inexistence de Dieu ni ne devrait chambrer les croyants, ces derniers n'étant pas obligés non plus de considérer les athées ou ceux qui embrassent une autre religion que la leur comme des êtres perdus qu'il faut combattre ou convertir de force. Ce qui, hélas, n'est pas toujours le cas. Trop souvent, les hommes ont fait ou font la guerre au nom de leur dieu qui, le pauvre, doit endosser un tas d'ignominies dont seuls des fanatiques plus ou moins assoiffés de pouvoir devraient être tenus pour responsables.

Escroquerie

C'est quoi la différence entre une religion et une secte ? Pour faire bref, disons que les sectes, et surtout leurs responsables (les « gourous ») vont dépouiller assez vite leurs adeptes de leurs biens matériels, les isoler de leur entourage familial et affectif au prétexte de les sauver. Si un « manitou » commence par te demander un bifton de 500 euros pour soigner ton âme, fuis, fais un don à un pauvre dans la rue et, en sus, paye-toi une glace ; tu te sentiras sûrement mieux. Mais attention, en général, les gourous sont un peu plus subtils que cela...

Faudrait savoir !

L'agnosticisme est un point de vue « philosophique » qui consiste à croire et… à ne pas croire. Plus précisément, un agnostique admet la possibilité d'une existence divine, sans croire ni pratiquer aucune religion particulière.

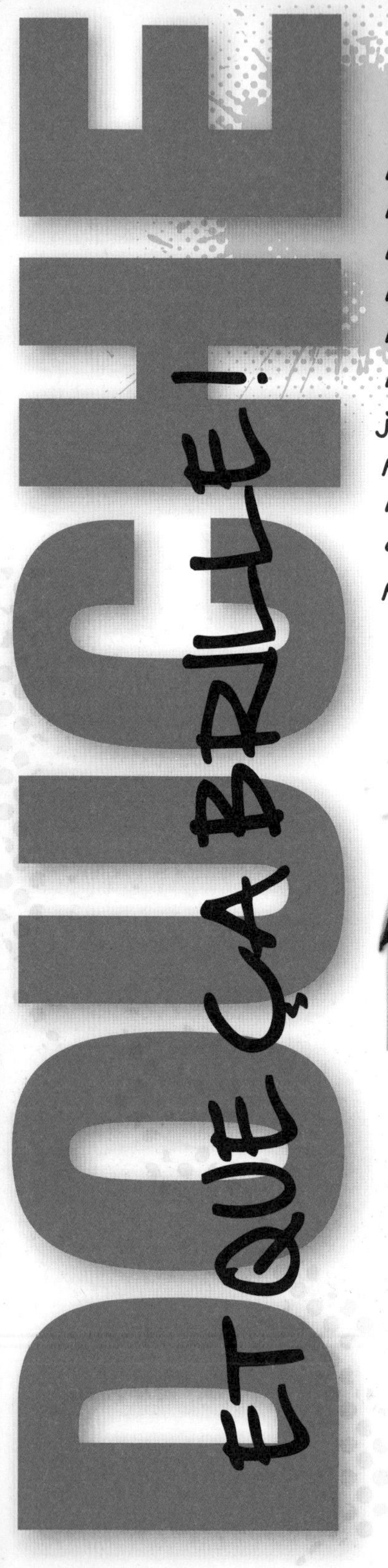

La Mésaventure de Dom Kipu

Acte I : Kipu a passé sa journée en salle d'escrime. C'est le soir, il espère bien batifoler avec Elvira, qu'il a invitée à l'Opéra. Mais la belle semble ne pas s'apercevoir de ses œillades enflammées et, durant tout le spectacle, se bouche le nez.

Acte II (Plus tard, au restaurant) : Elvira se pince toujours les narines. Ne sort de sa jolie bouche que cette seule phrase : « Mais qu'est-ce qui pue donc tant ? »

Acte III (Encore plus tard, dans une calèche) : « Mais c'est vous, Kipu, qui sentez si fort ! Halte-là, cocher, je préfère rentrer à pied ! »

La faute aux bactéries

Bonne nouvelle : les glandes sudoripares apocrines qui dormaient jusqu'alors dans ton corps se sont réveillées. Enfant, seules tes glandes dites « eccrines » travaillaient pour réguler la chaleur de ton corps et ça ne sentait pas mauvais. Mais maintenant qu'« apocrine » arrive, elle libère des molécules qui, lorsqu'elles sont croquées par les bactéries qui recouvrent ton corps, se décomposent et se mettent à dégager l'odeur désagréable qui infeste les aisselles ou les baskets de certains de tes copains. Pas les tiennes car, toi, tu te douches.

Pourquoi ?

Car tu sais que le moyen d'éliminer ces carcasses de molécules puantes, c'est l'eau. Avec du savon, c'est encore mieux pour faire glisser ces mauvais hôtes jusqu'à la bonde du bac à douche. Mais pas trop de zèle non plus. Tu n'es pas obligé de rester une heure sous l'eau pour chasser tout ce petit monde. Ni de te récurer jusqu'à t'arracher la peau. Cinq minutes suffisent largement. C'est économique et écolo.

Gel douche contre savon

Sans doute préfères-tu les flacons de gels aux parfums variés, qui tiennent bien sur la tablette de ta cabine de douche ou sur le sol des vestiaires. Le problème, c'est qu'ils sont composés d'un plus grand nombre de substances pas toujours très saines pour la peau et qu'ils sont plus difficiles à rincer que le savon : mal éliminés, ils peuvent provoquer des démangeaisons. Alors, vive le savon !

Voir aussi
Corps
Sport

Bonus déo

Le déodorant, c'est bien après la douche. Ça ne la remplace pas. Et puis, sur les pieds, ça ne va pas le faire. Le déo est à utiliser avec mesure : trop en mettre va écœurer plutôt que plaire à ton entourage.

Mon chéri, prends bien ta douche ce soir. Inutile de faire couler l'eau en bouquinant à côté de la baignoire. Le savon sec et la serviette tout aussi sèche t'ont trahi !
Maman

DRAGU
« ÇA TE DIRAIT DE... »

Euh...

Elle est là, devant toi, celle qui fait battre ton cœur, et aujourd'hui, vaille que vaille, tu as décidé de lui adresser la parole, après six mois d'admiration muette :
« Hé, heu, bonjour ! Ça va ?
– Oui, très bien et toi ? »
Rire grave, puis aigu, puis grave, gêné quoi.
Elle a répondu, c'est trop fort !
« Heu sinon, ça te dirait que, je sais pas moi, qu'on aille au cinéma ?
– Tu me dragues, là ?
– Ah non, pas du tout, je ne sais pas ce qui te fait dire ça, pas du tout !
– Ah bon, dommage ! »

Tu sais qu'tu m' plais, toi !

Vouloir être remarqué et plaire à d'autres personnes qu'à ses parents et à ses copains, c'est naturel. Craindre de ne pas y arriver, c'est aussi logique : lorsqu'on n'a pas beaucoup d'expérience, il est normal d'avoir peur d'échouer. À moins d'imiter Kick-Ass et de sortir en panoplie de super héros, il n'est pas toujours facile de se faire remarquer d'une fille que l'on souhaite séduire. Il faut l'aborder, la draguer, afin d'attiser son intérêt envers toi.

À l'abordage, donc !

Il n'y a pas de formule miracle. Certains choisissent une technique un peu pirate et accostent les filles en leur disant qu'elles leur plaisent. D'autres, plus timides,

Ce qui plaît aux filles

Il faut savoir que les filles ne sont pas uniquement attirées par les muscles, les marques ou la tchatche. La plupart apprécient aussi l'humour, la douceur, le romantisme, autant d'« armes » que possèdent souvent les timides.

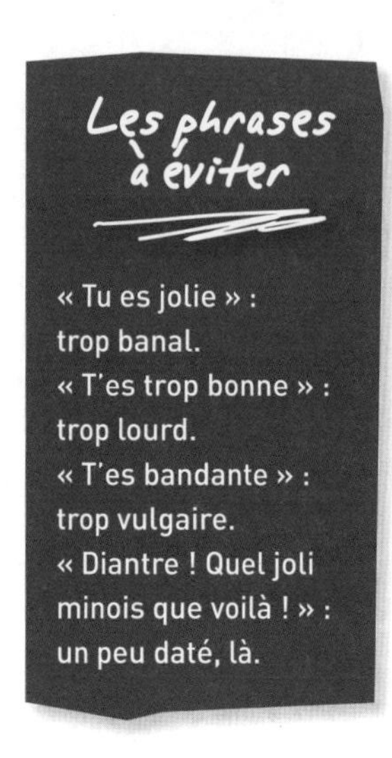

élaborent des stratégies moins directes – demander un conseil pour un devoir par exemple, afin d'établir un premier contact.

Objectif : plaire

As-tu envie de sortir avec une fille mal habillée, aux cheveux sales, qui jure comme un charretier ? Non ! Alors dis-toi qu'elle non plus ! Mieux vaut y mettre un peu de fond (un discours séduisant) et de forme (soigner son aspect, son comportement). Inutile cependant de vouloir paraître ce que tu n'es pas. Très vite, la fille percevra ta vraie nature.

Conseils

Jouer le caïd si tu es timide, l'intello alors que tu n'as pas lu un livre de l'année ou l'artiste si tu ne sais pas déchiffrer la clé de sol, bref, le mensonge, ça ne marche pas. Ou pas longtemps. Mieux vaut rester soi-même. Soigne ton humour. Et surtout, n'en fais pas aux dépens de celle que tu courtises. Il est toujours préférable de pratiquer un peu l'autodérision (pas trop, tout de même, le but est de plaire) plutôt que de lancer des vannes qui peuvent blesser. L'effet serait désastreux.

Voir aussi
Allumeuse
Amoureux
Copine
Douche
Filles
Vannes

Capitaine au long cours...

Imagine enfin qu'une fille qui t'attire te drague, puis te laisse en plan cinq minutes plus tard. C'est blessant, tu trouverais cela cruel. Eh bien, les filles, c'est pareil. Une fois qu'elles sont séduites, elles peuvent vouloir que ça dure, voire que tu sois l'homme de leur vie et pas que tu te mettes à en draguer une autre dans l'instant pour vérifier que ta technique fonctionne bien !

Girl FRIEND

GARÇONS FILLES

DROGUE T'EN VEUX ? NON

« Il en a pris ?

– Oui.

– Et il était comment ? Il a déliré ? Il a vu des trucs ? Il était vachement cool, non ?

– Oui, enfin au début. Y'a eu vingt minutes assez marrantes. Mais après, c'était moins bien. Il a eu le tournis. Et l'envie de vomir. Et il est allé se coucher.

– Et Lisa, elle n'était pas avec lui ?

– Ben si ! Mais elle est partie danser avec Mathéo parce qu'elle s'ennuyait avec lui. Ils ont dansé toute la soirée et elle est sortie avec Mathéo. Voilà ! »

Tu veux essayer ?

C'est tentant, non ? Car les drogues sont partout. Les stars et les sportifs dont tu envies peut-être la réussite en prennent souvent, certaines que l'on dit « licites » (l'alcool, le tabac) sont parfois consommées par tes proches. Alors pourquoi tu n'essaierais pas ? Tu penses qu'elles vont te permettre d'intégrer un groupe d'amis, d'oublier un souci de cœur ou tes sales notes. Mais le problème des drogues est qu'elles offrent des « solutions » très provisoires – un moment de liesse ou de détente – et sont en revanche une source de problèmes durables. Elles créent une dépendance physique très forte, qu'on appelle le manque et qui se traduit par des suées, des vomissements et une souffrance abominable et sans répit. Sans oublier que pour se payer leur dose, les drogués finissent par avoir recours au vol et à la prostitution. Ça ne fait pas franchement envie !

SOS

Lorsque l'on a un problème avec une drogue, il est difficile de s'en sortir seul. Les proches (famille, amis, profs) ne constituent pas forcément le meilleur auditoire : on craint d'avouer sa dépendance et on a peur des réactions de son entourage. Mais il est important de chercher quelqu'un pour entamer l'étape du sevrage, période durant laquelle un toxicomane apprend à se passer de sa drogue, physiquement et aussi mentalement. Heureusement, il existe des associations et des professionnels habitués à ce type de problème. Pour les contacter, on peut consulter le site de Drogues info service (www.drogues-info-service.fr) ou les appeler au 0800 23 13 13.

L'héroïne et le crack sont très dangereux car l'addiction à ces produits est quasi immédiate.
Les acides (LSD, ecstasy), c'est pas beaucoup mieux. Fabriqués par des « chimistes » qui ne cherchent pas à gagner le prix Nobel, ils contiennent des molécules qui peuvent provoquer ce que l'on appelle un « bad trip » : certaines personnes ne vont pas les supporter et vont rester scotchées, dingos à vie, quoi. Alors on n'essaie pas. Jamais.

Voir aussi
Alcool
Clope
Fumette
Liberté

DROGUES

PRODUITS	CATÉGORIES	COMPOSITION - PRÉSENTATION	EFFETS IMMÉDIATS	EFFETS INDÉSIRABLES - DANGERS
CANNABIS	Perturbateur du système nerveux central.	Issu d'une plante, le chanvre indien. Se présente sous 3 formes : l'herbe ou marijuana, le haschich ou shit, l'huile (peu répandue).	Détente, relaxation, euphorie. Modification de la perception du temps. Parfois sentiment de persécution, anxiété.	Ralentissement des réflexes, pertes de mémoire, difficultés de concentration. Dépendance physique faible. Risque de dépendance psychologique.
COCAÏNE	Stimulant du système nerveux central.	Extraite d'une plante, la feuille de coca. Se présente sous la forme d'une poudre blanche. Généralement inhalée, elle peut s'injecter. Souvent mélangée à d'autres produits.	Excitation intense, disparition de la sensation de fatigue, coupe-faim ; puis crampes musculaires, état d'épuisement, frissons, dépression.	Détérioration des cloisons nasales, accidents cardiaques, overdose, accidents psychiatriques. Dépendance psychique forte.
CRACK	Stimulant du système nerveux central.	Mélange de cocaïne, de bicarbonate de soude et d'ammoniaque. Se présente sous forme de petits cailloux dont on inhale la fumée après les avoir chauffés.	Excitation, effets plus intenses que la cocaïne, car arrive plus vite au cerveau. Puis hallucinations, comportements violents, états suicidaires.	Graves altérations des voies respiratoires, arrêts respiratoires ou cardiaques, dommages neurologiques. Dépendance physique et psychique très forte.

C'est mortel !

En 2010, les seuls cartels de la drogue mexicains ont commis 10 000 assassinats. On ne passera pas nos vacances avec eux.

PRODUITS	CATÉGORIES	COMPOSITION PRÉSENTATION	EFFETS IMMÉDIATS	EFFETS INDÉSIRABLES - DANGERS
ECSTASY	Perturbateur du système nerveux central.	Substance chimique souvent mélangée à des amphétamines, de la caféine, de l'amidon ou de la lessive. Se présente sous forme de comprimés colorés ornés d'un motif.	Stimulation, résistance à la fatigue et au sommeil, exacerbation de sensations, délires. Puis, les jours suivants, épuisement et grosse déprime.	Troubles cardiaques, toxicité au niveau du foie, dégradation des cellules nerveuses, troubles psychiques sévères et durables. Dépendance psychique grave.
LSD (encore appelé acide)	Perturbateur du système nerveux central.	Substance provenant d'un champignon hallucinatoire : l'ergot du seigle. Se présente sous forme d'un buvard, de « micropointe » (comme une mine de crayon) ou d'un liquide.	Modifications sensorielles, hallucinations, fous rires, délires. Puis angoisses, crises de panique, bouffées délirantes, risque de « bad trip ».	Accidents psychiatriques graves et durables, parfois dès la première prise.
HÉROÏNE	Dépresseur du système nerveux central.	Substance naturelle issue du pavot. Se présente sous forme de poudre blanche ou brune. S'injecte. Peut être sniffée.	Sensation immédiate d'extase qu'on appelle « flash », puis sensation d'euphorie et somnolence. Parfois nausées et vertiges.	Contamination par les seringues usagées : Sida, hépatites. Overdose. Dépendance physique et psychique très forte.

Au rapport

« L'individu de sexe masculin ne s'est pas présenté devant nous en raison de son état. État qu'il n'a pas voulu préciser mais qu'il a qualifié de gênant. Nous en avons déduit – mais n'avons-nous pas les idées mal placées ? – qu'il souffrait peut-être d'un "mal" masculin commun nommé érection. »

DEBOUT LES GARS !

Quèsaco ?

Sous l'effet d'une excitation sexuelle provoquée par la vue, le toucher ou même une odeur, un afflux de sang se dirige vers le pénis des garçons, retenu dans des corps caverneux par des valves : le sexe devient dur, ce qui permet l'accouplement, le pénis pouvant ainsi pénétrer dans l'organe génital féminin. Technique et pas glamour, la description de l'érection ! On peut aussi appeler ça « bander », ce n'est pas un secret même si c'est un mot à éviter pendant les dîners en ville. Quand et combien de fois par jour ? Il n'y a pas de règles. Des érections se produisent dès les premiers mois et ont lieu plusieurs fois par jour, enfin surtout la nuit, en rêvant, sans que l'on s'en aperçoive. Sauf de la dernière que l'on dit « matinale », un peu gênante au lever si on n'est pas tout seul.

Panique à la playa

Embarrassantes, les érections ? C'est possible, car elles peuvent survenir à tout moment, surtout lorsqu'on est ado. Mais, même si on le voulait, elles ne sont pas maîtrisables. Une pensée érotique fugitive, la vue d'une simple nuque et zut, non, tu ne peux pas aller au tableau tout serré dans ton slim. Allongé à la plage, re-zut : pas de beach-volley, à moins d'être vêtu d'un short de surf extralarge. Sinon, courir à l'eau en espérant qu'elle soit glacée.

Service minimum ?

La taille du pénis n'a pas de lien avec celle du corps ou d'un autre organe. Son état au repos ne présume pas non plus de sa plus ou moins grande mesure en érection (donc, pas de complexes dans les vestiaires. Bon, allez, on donne une moyenne mondiale de l'appareil prêt à bondir, c'est-à-dire du sexe en érection : 14 cm après 18 ans). Si ces mesures sont souvent une obsession chez les garçons, il semble qu'elles indiffèrent relativement les filles.

Vantard

Qui a dit en parlant de son pénis : « Jusqu'à 40 ans, j'ai cru que c'était un os » ? Ce personnage illustre qui voulait dire par là qu'il était toujours en érection, et sans doute se vanter en même temps de ses nombreuses conquêtes féminines, n'était autre qu'un roi de France, Henri IV. À noter qu'une érection qui dure plus de quatre heures, cela s'appelle une crise de priapisme, que c'est douloureux et nécessite une intervention médicale d'urgence.

Voir aussi
Masturbation
Puceau
Sexe

Y'a pas que le sexe...

Homo erectus, l'un des nombreux types du genre *Homo* dont nous sommes les descendants, doit-il son nom savant au fait qu'il aurait été le premier à être en érection ? Non, car ici le mot latin *erectus* signifie « dressé, droit ». Cet *Homo*-là a ainsi été appelé parce qu'il est le premier connu à s'être tenu debout. Lorsque l'on parle de l'érection d'une statue, c'est pareil : on la place droit sur un socle, ses organes génitaux, même s'il s'agit d'un nu sculpté, ne se mettent pas à gonfler.

ÉTUDES

QUAND FAUT Y ALLER, FAUT Y ALLER !

Zéro pointé

« Victor Hugo, c'est bien l'auteur de *Batman au pays des merveilles* ? Sinon, ça, j'en suis sûr, la Belgique est une île africaine, juste en face de Shanghai.
– Zéro pointé, jeune homme !
– OK, mais ça sert à quoi de savoir tout ça ? Moi, je préfère travailler tout de suite. Enfin, gagner de l'argent. Parce qu'à l'école, tu bosses, mais pour pas un rond. »

Dix ans de service minimum

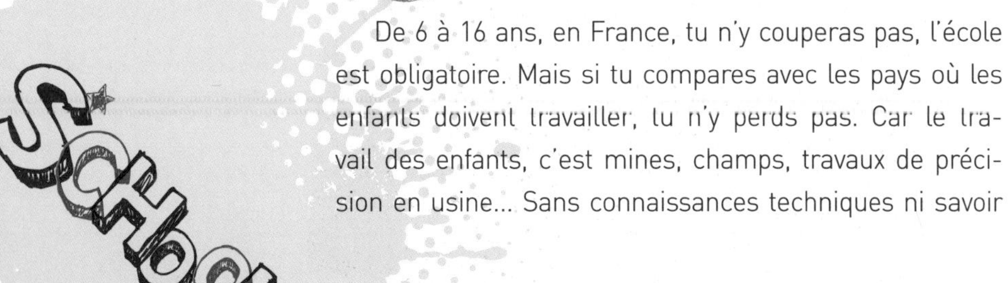

De 6 à 16 ans, en France, tu n'y couperas pas, l'école est obligatoire. Mais si tu compares avec les pays où les enfants doivent travailler, tu n'y perds pas. Car le travail des enfants, c'est mines, champs, travaux de précision en usine… Sans connaissances techniques ni savoir

intellectuel, que peut-on faire d'autre ? Sans parler des heures de marche soir et matin pour ceux qui, dans ces pays, auraient la chance de pouvoir être instruits ! Alors, file prendre ton bus !

Liberté

Les études, les connaissances que tu vas acquérir, même si elles peuvent t'aider à réussir ta vie professionnelle, ont avant tout pour objectif de faire de toi un homme libre, autonome, qui pourra faire des choix et ne pas subir ceux des autres. Être indépendant, n'est-ce pas quelque chose à quoi tu aspires ? L'école va t'apprendre à chercher et à vérifier des informations, ce qui t'évitera d'être le benêt qui croit, accepte et subit n'importe quoi. C'est aussi important que les bonnes notes, même si, c'est vrai, un petit 18/20 aide bien à la paix familiale, en attendant la véritable indépendance !

Rattrapage

Certains décident, ou sont obligés par manque d'argent, d'arrêter très tôt leur scolarité. Ils ressentent parfois le besoin de reprendre leurs études par goût ou pour obtenir des diplômes nécessaires à l'exercice de certains métiers. Pour les aider, il existe des organismes dispensant des cours du soir ou par correspondance, comme le Cned, et des écoles de la deuxième chance. Un exemple réussi : Gaston Bachelard (1884-1962) a commencé par être commis postier avant de retourner sur les bancs d'école et de devenir l'un des philosophes français les plus connus au monde.

Les profs, au piquet !

Tu trouves que certains de tes profs sont nuls. Possible que quelques-uns soient stricts ou ennuyeux. En tout cas, ils ont tout de même réussi un concours pas des plus fastoches (comme le Capes) et possèdent une formation appropriée pour te faire comprendre la matière qu'ils enseignent. Si vous éprouvez peu de sympathie l'un envers l'autre, n'oublie pas, juste pour toi, de bosser son cours. Et puis, l'an prochain, il y a de fortes chances que les têtes de tes profs changent...

Voir aussi
Avenir
Liberté
Redoublement

FACE BOOK

DES POKES À MES POTES !

Piqûres numériques

« Vache. J'ai pas dormi. Je me suis fait poker toute la nuit.
– Ben ça se voit. Mais t'as de la chance, c'est pas de l'acné. Achète une bombe. Font même des trucs bio à la citronnelle contre les moustiques.
– Poké, pas piqué ! T'es inscrit, sur Facebook ? »

J'aime

Ça y est, c'est la fin des cours. Ouf ! À peine rentré chez toi que tu es déjà connecté à Facebook pour rester encore en contact avec tous tes potes. Avec MSN dans un coin de ton écran, c'est sûr que ta bande, tu ne la quittes plus... Et il faut reconnaître que les vidéos mises en ligne et les statuts des uns et des autres te font bien marrer. Du coup, tu y passes un temps fou. Et tu as un peu de mal à te concentrer sur tes devoirs... Et si tu y arrives, dix minutes plus tard, tu retournes voir s'il y a du neuf, on ne sait jamais. Tu es devenu complètement addict. Allez, un petit effort, essaie de décrocher une heure, le temps de venir à bout de ces équations insurmontables !

Puis, de temps en temps, plutôt que de communiquer avec tes potes grâce à un écran, sors de ton fauteuil et pars en vadrouille avec eux. La vraie vie est quand même bien plus fun que la vie virtuelle !

Buzz

Faut dire que Mark Zuckerberg, l'Américain qui a créé ce site, a eu l'idée du siècle ! Rien qu'en France, il y aurait dix-sept millions d'utilisateurs !

Conseils pour facebooker averti

Pour préserver ta vie privée, ne dévoile que le strict minimum. Et n'oublie pas qu'une photo publiée sur Facebook ne t'appartient plus et restera à tout jamais enregistrée – sauf si tu demandes qu'on l'enlève, ce qui nécessite beaucoup de temps et d'énergie. Pense que, plus tard, si tu es devenu un homme respectable, tu n'auras sans doute pas envie que la photo où tu montres tes fesses

à une grosse fiesta fasse le tour des bureaux où tu travailles, ou des élèves à qui tu enseignes... Alors garde bien en tête que ce qui est privé doit rester privé et que tout le monde n'a pas besoin de connaître tes délires avec tes potes. Pour ça, une seule solution : bien configurer les paramètres de confidentialité de ton compte. Et pourquoi pas utiliser un pseudo ?

Ajouter à mes amis

Et sur Facebook, tu es sûr qu'il n'y a que des « amis »? Si tu parles à deux personnes après les cours et que tu as 2 754 « amis Facebook », possible qu'il y ait un souci... Ce n'est peut-être pas la peine d'ajouter tout le monde juste pour avoir plus d'« amis » que les autres. Ce n'est pas ça qui fait ta vraie valeur. Mieux vaut une poignée de potes fidèles que plein d'« amis Facebook » que tu connais à peine. Et méfie-toi des gens croisés sur le Web, tu ne sais pas toujours quelles sont leurs intentions.

Arrête de passer des heures devant ton ordinateur.
Tu vas t'abîmer les yeux !
Maman

Voir aussi

Geek
Liberté
Potes
Tribu

SOCIAL NETWORK

Poke

Visite guidée

« Bonjour messieurs-dames. Bienvenue dans la maison du jeune Arthur. En entrant dans l'appartement, faites attention au skate laissé en travers du couloir par ledit Arthur. Dans le salon, vous apercevrez quelques résidus de chips et de pizza, puis vous passerez dans la salle de bains où vous vous tiendrez éloignés d'une paire de chaussettes parfumées avant de découvrir l'antre de notre célébrité. Ah non ! Un caleçon gît à terre et bloque l'entrée. Désolé. »

FAMILLE

« C'EST PAS L'HÔTEL ICI ! »

Premier labo

La famille, c'est le premier lieu où tu apprends à vivre avec les autres et où tu t'inities à ce qui est très utile et qu'on nomme la sociabilité. Pour faire court, on peut dire que cela consiste à être aimable, à combattre son éventuel égoïsme, à respecter des règles non écrites mais évidentes. Aider, respecter les autres en paroles (ne pas leur parler comme un charretier) et en actes (accepter la sphère privée de chacun, même la chambre des grands frangins) : autant de choses simples qui permettent une cohabitation agréable, même si, évidemment, tu ne peux pas toujours être parfait – quoique...

Un nid

Mais la famille, ce n'est pas seulement un cadre dans lequel tu n'as que des obligations. C'est avant tout celui où tu disposes de soutiens affectifs. Qui de plus proches que tes parents pour écouter tes soucis de scolarité, voire tes problèmes de cœur, même si ceux-ci sont parfois plus difficiles à exposer à ses proches ? Qui te défendra mieux qu'un grand frère ? Et qui t'admirera plus que ta petite sœur ?

Peut-être n'as-tu pas une famille « classique » : un père, une mère, des frères et sœurs. Tes parents sont divorcés, remariés, leurs conjoints ont des enfants. C'est ce qu'on appelle une « famille recomposée », et force est de constater qu'il en existe de plus en plus. Cependant, si les divorces sont plus fréquents, les couples d'autrefois, du fait d'une mortalité élevée, ne duraient pas forcément plus longtemps. Beaucoup d'hommes et de femmes, veufs, se remariaient et avaient alors de nouveaux enfants : un autre type de famille recomposée.

Programme du Good Boy

Lever à l'aube. Lit au carré. Petit déjeuner pour la famille + aider les juniors à s'habiller. Travailler à l'école et rapporter une collection de 20/20. Apprendre ses leçons et assister ses aînés pour leurs devoirs parce qu'ils ne comprennent rien. Cuisiner un petit plat avec les restes du frigo quasi vide. Vaisselle, lessive, douche, récurage, coucher... Crevé.

Voir aussi
Bronx
Maman
Papa

FANTAS

J'IRAI AU BOUT DE MES RÊVES...

« Moi, je serais habillé tout en cuir. Nous serions sur des sentiers déserts et, du bout du pied, je la ferais rugir puis alors nous partirions faire des trucs insensés.
– Du bout du pied ?
– Ben, une 500 cm³, ça se démarre au kick ! »

Une grosse cylindrée ?

C'est quoi, les fantasmes ? Posséder et conduire une grosse moto cylindrée alors que ce n'est pas possible quand on a 15 ans ? En fait, ce mot désigne tout ce que l'homme imagine pour échapper à la réalité lorsqu'elle ne lui convient pas, qu'il la trouve ennuyeuse, pas assez rock'n'roll. Autant dire que les fantasmes de l'humanité sont nombreux, variés, dépendent du caractère, du cadre et des conditions de vie de chacun : certains seront « fous » à l'idée de devenir basketteur professionnel, d'autres rêvent de passer leur vie dans un hamac aux côtés d'une rousse splendide et d'autres enfin, de cajoler dans un tipi une jolie blonde.

MES

Vieux fantasmes

Depuis fort longtemps, changer le plomb en or a été le rêve de nombreux hommes qu'on appelait des « alchimistes ». Pour y parvenir, ils cherchaient à trouver la « pierre philosophale » ou à obtenir une sorte de potion chimique nommée « élixir », mot toujours utilisé pour désigner des sortes de remèdes miracle, comme les « élixirs de jouvence », un breuvage pour rester éternellement jeune, un autre ancien fantasme. Toujours d'actualité, celui-là.

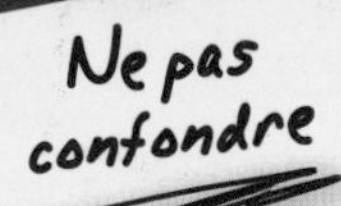

Ne pas confondre

Attention, il ne faut pas tout mélanger. Les fantasmes érotiques, d'accord. Mais les fantasmes de viol, seul ou à plusieurs, c'est inacceptable !

C'est pas bien ?

Des fantasmes, tout le monde en a. Tu n'as pas à te sentir coupable de t'imaginer dans les bras d'une jolie fille au milieu d'un champ de blé, surtout si tu es seul et citadin. Cependant, si cette jolie fille ne partage pas tes désirs céréaliers, elle en a aussi le droit. Pour réaliser un fantasme amoureux, il faut être tous les deux d'accord et que cela se fasse dans le respect de l'autre.

Réaliser ses fantasmes ?

Certains de tes fantasmes seront peut-être réalisés, d'autres resteront des « rêves éveillés ». En est-on frustré ? Cela dépend de chacun mais l'attente, le désir ne sont pas des états si désagréables que cela. Assouvir l'ensemble de ses fantasmes, n'est-ce pas prendre le risque d'être blasé ? Ou d'être grièvement blessé ? Si, comme un certain Icare, il te prenait l'envie de voler...

Voir aussi
Amoureux
Copine
Premier baiser
Puceau
Sexe

PHANTASM

FATIGUE
RAPLAPLA

Deux de tension

« Super, le film !
– J'sais pas, j'ai dormi.
– Tu pourrais pas me prêter le cours de maths d'aujourd'hui ?
– Je ne l'ai pas. J'ai piqué du nez pendant tout le cours.
– Et ce soir, pour la soirée, tu vas pas pouvoir venir ? Tu vas dormir ?
– Non, d'un coup, j'ai une patate d'enfer ! »

Empoisonné ?

Étrange, ça. Tu n'es plus le nourrisson qui dormait quinze à vingt heures par jour, ni l'enfant qui faisait la sieste. Mais tu ne parviens plus non plus à te lever en pleine forme à 7 heures du mat' et à bondir sitôt tombé du lit. On t'a jeté un sort. Tsé-tsé t'a piqué ? Il faut espérer que non. C'est sans doute moins grave et plus pas-

sager, sûrement dû à la puberté. Durant cette période, les hormones nouvellement produites par le corps modifient les rythmes du sommeil. Tu t'endors plus tard (trop de leçons et devoirs, peut-être, ou de jeux vidéo, plus probablement !), ton sommeil est moins profond. Du coup, le matin, c'est moins la fiesta.

Vivement samedi !

Tu sors parfois le soir, regardes la télé, lis ou utilises un ordi tard dans la nuit, tu es fatigué, as du mal à te lever et des coups de barre dans la journée. Pas bon pour le bulletin. Facile dans ce cas de savoir quoi faire : se coucher un peu plus tôt. Cependant, tu pourras tout de même ne pas péter la forme. Tes rythmes de sommeil, on l'a dit, indépendamment de toi, sont perturbés. Il te faut impérativement récupérer et ce n'est guère possible que durant le week-end et les vacances. Tes parents doivent comprendre que la grasse matinée, à un certain âge, c'est bon pour ta santé, donc pour ta scolarité. S'ils ne te croient pas, prête-leur ce livre.

J'ai plus 3 ans !

Et pas encore 80. Alors, la sieste, ce n'est pas pour toi. C'est vrai qu'elle ne présente aucun intérêt si tu n'es pas fatigué, qu'elle peut même empêcher de bien s'endormir le soir si elle est trop longue ou commencée trop tard dans l'après-midi. Pourtant, un repos de quinze à trente minutes avant 16 heures permettrait d'avoir une meilleure concentration et d'être de meilleure humeur. Certaines entreprises incitent même leurs employés à faire la sieste pour qu'ils soient ensuite plus productifs. Vite, des dortoirs au lycée !

Crapuleuse ?

La sieste crapuleuse ? Tu as déjà peut-être entendu ce terme. Il ne s'agit pas vraiment pour ses pratiquants de se reposer, ni non plus de commettre des crimes. Mais d'avoir durant ce temps une relation amoureuse, allez, sexuelle, disons-le ! Crapules, va !

Quelques chiffres fainéants

L'homme à l'âge adulte dort sept à huit heures par jour. Plus que le lapin ou la girafe (deux heures), mais nettement moins que le bien nommé paresseux et la chauve-souris (vingt heures). Les félins les plus communs dans nos salons, les chats, pioncent un minimum de douze heures par jour : il faut bien se reposer pour chasser la remuante croquette !

Voir aussi

Corps
Stress
Zen

FÊTE

SANS ALCOOL, ELLE EST PLUS FOLLE !

Que la fête commence !

C'est ton anniversaire et tu te dois de fêter ce jour particulier dignement ! Des amis, de la musique, de quoi se nourrir et boire un coup suffisent. Options facultatives : un thème (« Muscu », mais c'est pas forcément facile de danser avec des haltères) ; des déguisements (une perruque, toujours plus pratique qu'une armure, mais c'est comme on veut).

Des gens sympas

S'éclater le plus possible, c'est évidemment ce que l'on souhaite lorsqu'on organise ou participe à une fête. Le danger est que cela parte en vrille. Même si une soirée peut être l'occasion de rencontrer de nouvelles personnes, tâche de ne pas inviter des « ennemis » notoires ou de te rendre dans un endroit où tu croiserais le type qui sort avec la fille dont tu rêves depuis la maternelle. Effet coup de boule garanti !

Invités à bannir

Surtout, évite d'inviter l'alcool et la drogue ! Ils n'aident pas à faire la fête et la ruinent plutôt : agressivité, perte du contrôle des mouvements, puis sommeil de plomb. Pour s'amuser, il est préférable d'avoir des amis qui rient ou dansent que des invités qui vomissent, se battent ou renversent des cannettes sur le portable qui passe les MP3. Et, pour inviter une fille à danser, et plus si affinités, c'est toujours mieux de tenir debout, de ne pas avoir l'haleine fétide, l'œil vitreux et la bouche écumante.

Conseils d'amis

Afin d'obtenir l'autorisation de tes parents, évite d'être odieux. Claquer les portes, laisser des chaussettes douteuses sur le divan, se faire coller la semaine d'avant : mauvais plans. Et aide avant et, bien sûr, après pour nettoyer et ranger. Tu pourras sans doute organiser de nouvelles fêtes.

Les skins-parties doivent leur nom à la série britannique *Skins*, dans laquelle des ados font n'importe quoi. Ce sont des soirées *no limits*. Techno et électro pour la bande-son. Pas de limites, pas d'interdits. Choquer, provoquer. Avec drogue et alcool. Cocktail détonant ! À éviter absolument !

Attention aussi au bruit. Évite les cris dans les escaliers, la musique à fond, les scooters qui ronflent. Les voisins n'aiment pas. Le tapage nocturne, c'est une amende de 450 euros.

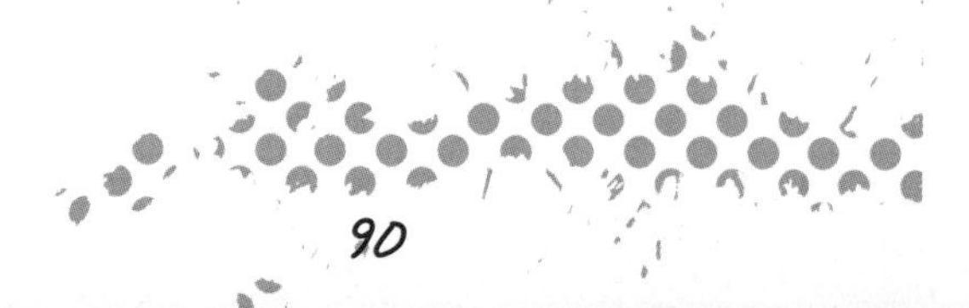

Music
friends

FILLES

« NI TOUT À FAIT LA MÊME, NI TOUT À FAIT UNE AUTRE »

Attention ! Ceci est une citation de Paul Valéry qui peut servir à épater les filles.

Qui est-ce qui ?

Comme les chattes, peuvent mordre, griffer, voler dans ton assiette, surtout au restaurant les frites que tu as commandées et pas elles, « parce-que-ça-fait-grossir » ?
Comme les pies, jacassent tout le temps ?
Comme les autruches, se planquent quand il y a une baston ?
Se prennent pour un mille-pattes parce que chaque jour elles veulent de nouvelles chaussures ?
Qui ?

Il y a une fille qui a téléphoné pour toi hier soir quand tu étais au foot...

Maman

C'est qui ?

Maman

Bizarres ?

La réponse est évidente. Aucun doute possible, il s'agit des filles. Ces êtres mystérieux et parfois incompréhensibles qui, vers 14 ans, se métamorphosent en créatures tout aussi étranges : les femmes. Mais avec ce catalogue d'idées convenues concernant la gent féminine (superficielles, bavardes, vénales...), te voilà directement intégré à la tribu des gros lourds, « machos » et « misogynes ». Ça ne t'emballe pas. Alors oublie les clichés et rappelle-toi qu'une fille est comme toi, avant tout un être humain. D'accord, il existe des différences...

Ici la Terre

Des seins, des fesses plus rondes, et non, pas de barbe (bon d'accord, ça peut arriver), pas de pénis ni autres accessoires dont tu es pourvu. Entre vous, des différences physiques, donc. Et voilà, c'est tout. Cela n'en fait pas pour autant des extraterrestres. Ta propre mère, d'ailleurs, ne te parle pas en martien et appartient pourtant à l'espèce « filles ». Qui possèdent par ailleurs un cerveau qu'elles utilisent souvent fort bien pour rafler les premières places, et des droits égaux à ceux des hommes, depuis peu de temps cependant. Il y a moins d'un siècle qu'elles sont autorisées à voter (1944) et, malgré bien des lois, elles sont toujours victimes d'injustices (en France, pour un même travail, elles sont souvent moins payées).

Toutes en slip ?

C'est ce qui pourrait arriver si la police faisait appliquer une ordonnance datant de 1800 interdisant aux femmes de « s'habiller en homme » à Paris, c'est-à-dire de porter un pantalon. Bon, mais faut pas rêver non plus ; la loi ne dit pas que les filles rebelles doivent aussitôt ôter leur jean et se retrouver en culotte dans la rue.

Match à rebondissement

Au début, on gagne : 105-100. C'est la proportion respective des naissances de garçons et de filles. Ensuite, les femmes résistent mieux : elles vivent en France en moyenne six années de plus que les hommes, surtout grâce à une meilleure hygiène de vie (moins de tabac et d'alcool, par exemple). Sur ce coup, les gars, faudrait peut-être songer à les imiter.

FUGUE

Ton père
s’inquiète

Ta prof
s’inquiète

Tout le monde s'inquiète pour toi

FUMETTE

TU VEUX UNE TAFFE ?

« C'est quoi ?
– De l'herbe.
– Tu fumes ta pelouse ?
– Non, c'est de la beuh, de la marijuana si tu préfères.
Sinon, j'ai du shit si tu veux.
– Shit. Euh, ça veut pas dire "merde" en anglais ? Ya quoi dedans ?
– Ben je sais pas. »

C'est bio ?

Griller un bédo, un joint ou un pétard, c'est fumer une plante nommée cannabis ou chanvre sous différentes formes. Soit on consomme les fleurs et les feuilles séchées (l'herbe), soit la résine de la plante compressée et mélangée à d'autres produits (on dit coupée) et vendue sous la forme de « barrettes » : le haschich. Et c'est là que le mot « shit » prend tout son sens car lorsqu'on procède à des analyses de ce dernier, on retrouve dans cette mixture aussi bien de l'huile de vidange, du henné, de la paraffine, du cirage, des médicaments que du plastique, et même des excréments.

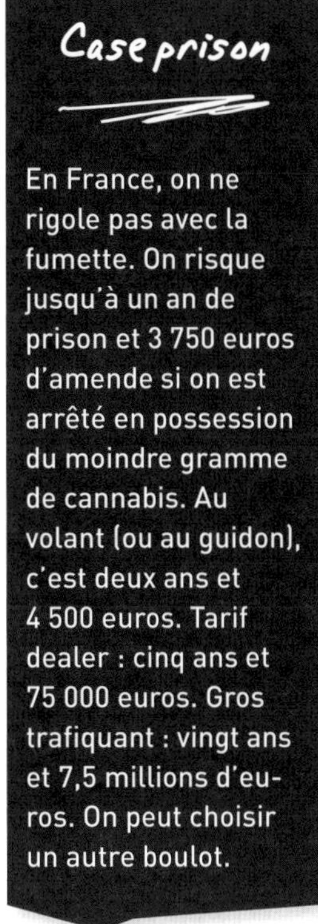

Case prison

En France, on ne rigole pas avec la fumette. On risque jusqu'à un an de prison et 3 750 euros d'amende si on est arrêté en possession du moindre gramme de cannabis. Au volant (ou au guidon), c'est deux ans et 4 500 euros. Tarif dealer : cinq ans et 75 000 euros. Gros trafiquant : vingt ans et 7,5 millions d'euros. On peut choisir un autre boulot.

Oui, mais l'herbe ?

Fumer un pétard, pour certains, ce sera prouver sa virilité, éprouver l'un des effets de la drogue (relaxante ou, au contraire, euphorisante). Mais c'est ignorer les effets secondaires de ce produit : mémoire et capacité de concentration de poisson rouge, impossibilité de rédiger un devoir cohérent et d'aligner deux idées, moral en berne, et, à terme, le risque de passer tout simplement à côté de sa vie. Sans oublier de plus que la consommation d'herbe est totalement illégale en France (voir « Case prison » ci-contre). Dépenser de l'argent pour fumer de la crotte de chameau séchée en risquant des amendes, un séjour en cabane et la perte de ses neurones, c'est idiot, non ?

Voir aussi
Drogue
Liberté

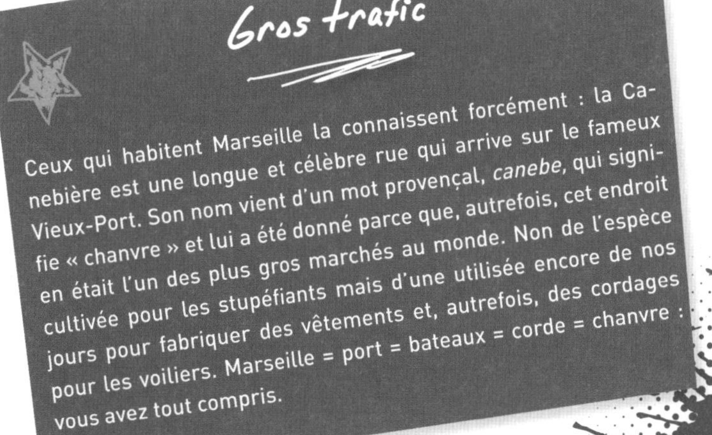

Gros trafic

Ceux qui habitent Marseille la connaissent forcément : la Canebière est une longue et célèbre rue qui arrive sur le fameux Vieux-Port. Son nom vient d'un mot provençal, *canebe*, qui signifie « chanvre » et lui a été donné parce que, autrefois, cet endroit en était l'un des plus gros marchés au monde. Non de l'espèce cultivée pour les stupéfiants mais d'une utilisée encore de nos jours pour fabriquer des vêtements et, autrefois, des cordages pour les voiliers. Marseille = port = bateaux = corde = chanvre : vous avez tout compris.

GEEK

MA ViE, C'EST MON ORDi !

- Le geek vit en autarcie.
- Il s'est installé une maison dans la maison au moyen d'une tente.
- Le geek aime la pizza, facile à manger quand on joue 24h/24.
- Le geek adopte une tenue confortable : pyjama toute la journée.

• Le geek vit dans son monde à lui, peuplé d'êtres étranges, Pokemon et autres Dark Vador.

• Le geek devrait quand même sortir de sa caverne de temps en temps pour voir la vraie vie !

Excès de zèle

« Souhaitez-vous mon bras, madame, pour gravir cette marche ? Prenez mon siège, je vous en prie. Non, non, ma jambe cassée ne me fait nullement mal. Après vous, monsieur, n'ayez crainte, je tiens ferme cette porte battante. Mademoiselle, voudriez-vous que je vous aide à porter ces nombreux mais néanmoins indispensables, j'en suis certain, objets en tissu que vous avez achetés ? Mais que vois-je ? Une miette de pain sur votre fessier est accrochée. Puis-je me permettre de la chasser ? »

Tout bon ?

Eh non, raté ! Au début, notre apprenti gentleman avait tout bon. Car pour appartenir à cette espèce très prisée, il convient de connaître et d'appliquer les bonnes manières (être poli, aider les gens, même inconnus, et qu'ils soient des hommes ou des femmes), d'endurer en silence les petits désagréments, de complimenter les autres sur leurs actes, leur aspect. Mais il ne faut pas vouloir profiter des bonnes dispositions que votre galanterie aura permis. Et là, il y a tout de même affreuse intention de main aux fesses.

Séduire ?

Mais alors, quel intérêt y a-t-il à être un gentleman ? Aucun, devrait-on dire. Sauf d'obtenir la satisfaction personnelle de faire plaisir, d'aider, d'être quelqu'un de bien. On aura toutes les chances alors, même si cela ne doit pas être un objectif, de bien disposer les autres à son égard, d'éviter le stress que crée la violence dans les rapports avec autrui.

Des leçons en texte et en images

Sans lire des manuels de bonne conduite très ennuyeux, on peut avoir une idée du comportement « gentleman » de manière ludique en lisant la série des *Arsène Lupin* de Maurice Leblanc ou en regardant l'adaptation télévisuelle de ces romans, parfois rediffusée ou disponible en DVD. Ce gentleman cambrioleur possède de nombreux « frères » au cinéma, eux aussi plus ou moins hors-la-loi comme James Bond (mais c'est surtout un séducteur), Robin des bois ou Zorro. À savoir : porter un collant vert, une cape, un masque et une épée n'est pas obligatoire de nos jours pour affirmer qu'on est un vrai gentleman.

Mini-guide du gentleman

- **Très classe** : aider une mère ou un père de famille chargé de sacs (ou pas) à porter une poussette dans des escaliers.
- **Très classe** : se jeter, au risque d'être tué, sur une dame pour l'empêcher d'être blessée par une flèche, un coup d'épée ou la charge d'un sanglier (rare, mais vraiment très classe).
- **Pas classe** : gratter des trous en public (oreilles, nez, bouche), les siens ou ceux des autres.
- **Pas du tout classe** : évacuer bruyamment des surplus d'air prisonniers de votre corps (éructer ou « venter », pour dire la chose avec classe).

Voir aussi
Drague
Homme
Filles

GLANDER

JE GLANDE, TU GLANDES, ILS GLANDENT…

Gaffe au surmenage

« On fait quoi ?
- On fait rien.
- Ben on sort pas ?
- Y a rien de prévu.
- On voit qui ?
- Personne. Enfin j'en sais rien. On va buller, tu vois !
- Cool ! C'est mieux que rien. »

Voir aussi
Ciné
Études
Potes
QG
Sport

Oh la zone !

Tu t'ennuies. T'avachir devant la télé après sept heures de cours, bon... Retrouver sur une place tes copains afin de discuter, rigoler, oublier le stress de l'école, pourquoi pas. Puis, à force de traînasser, chouette, l'un d'entre vous trouve une occupation : « Tiens, si on taguait le mur de la voisine qui couine après nos scoots. » Ah ben en voilà une idée qu'elle est mauvaise ! Mais personne pour s'opposer au chef de bande ou trouver un plan moins pourri ; on se laisse entraîner et se répand alors dans l'air comme une odeur de carton rouge.

Parcours gratuit

Même si le fait de glander avec des potes ne va pas te conduire au bagne, que vous n'allez pas obligatoirement commettre des actes répréhensibles, c'est un risque qu'il vaut mieux éviter. À vous de trouver une occupation pour déjouer votre ennui sans finir au poste. Créer un groupe de musique (en chantant, si on ne sait pas jouer), faire un foot, un basket. Et pourquoi pas du street golf ? Trop cher, le golf ! Pas pour cette variante-là : une balle en mousse et un club suffisent ; le parcours, c'est la ville ou le village. Mais pas la route, évidemment.

Vrai ou faux ?

Au Néolitique commença la domestication des marcassins. Les hommes robustes continuèrent tout de même à chasser. Les feignasses qui ne couraient pas après le gibier étaient exclus de la bande : « Va glander ! » leur ordonnait-on. Ce qui signifiait « Emmène donc les cochonnets manger des glands [nourriture traditionnelle du porc]. Assis sous les chênes, ces individus ne faisaient rien sinon regarder leurs animaux manger. Cela se sut et, depuis, le glandeur désigne les êtres inactifs.
Réponse : faux, mais bien inventé !

Very Important Glandu ?

Bertrand Russell, savant britannique, a écrit en 1932 un livre dont la longueur (5 000 mots = une grosse dissertation) correspond au sujet traité, intitulé *Éloge de l'oisiveté*. Ce qui signifie en gros « Vive le glandouillage ». Que reçut-il en récompense de son petit livre conseillant de gober les mouches ? Le prix Nobel de littérature (1950). Bon, il ne faut pas s'emballer, le monsieur avait également écrit auparavant une trentaine de livres. Et le propos de ce mini livre est surtout que, s'il est bien de ne pas trop travailler, c'est afin d'avoir du temps pour se reposer, se divertir et, surtout, se cultiver pour le plaisir !

HOMME XY

Cherche, allez cherche !

« Qu'est-ce qui est baraqué, poi[lu] et adore la bidoche saignante ?

– Fastoche, mon pote, c'est mon chien.

– Perdu ! Et qui ne pleure jamais quand on lui balance un truc ?

– Ben, mon chien : tu lui jettes, il rapporte, il pleure pas.

– Par balancer, je voulais dire envoyer une pique.

– Mon chien, il rapporte tout, tu sais…

– OK. Basta, on fait un Scrabble ! »

Et toi, tu as trouvé ?

On aurait pu ajouter : « qui aime les (grosses) voitures, les frites, les matchs à la télé, les potes, les blagues bien vulgos, la bière et qui déteste pêle-mêle se laver, les courgettes, lire, la salade, écrire, les navets, repasser le linge ». Avec toutes ces infos, plus de doutes : tu auras compris qu'il s'agissait de l'homme. Enfin d'une caricature qui véhicule tout un tas d'idées reçues, plus ou moins justes, mais qu'il ne convient en aucun cas de généraliser.

Des femmelettes, alors ?

Pourquoi on ne pleurerait pas lorsque des émotions nous submergent ? Parce que l'on doit être toujours fort (et musclé, et finalement un peu con-con du fait de notre insensibilité). Un vieux cliché toujours très utilisé par la pub, le ciné et les journaux, notamment féminins, où les hommes modèles sont toujours des extraterrestres beaux-friqués-virils-et-doux-mais-musclés... Eh bien non, un homme peut être intelligent, sensible, pauvre et n'est pas non plus obligé de suivre la mode, de passer son temps à se pommader, à se looker, à consommer pour épater les filles. Ou bien il faut aimer n'être qu'un jouet. Dont, alors, on peut se lasser.

Voir aussi

Filles
Gentleman
Macho
Père
Potes

Plumeau, vaisselle et petits plats

C'est pas pour nous, ça ? Il semble qu'une majorité d'hommes le pense et se croit dégagée des obligations ménagères, jusqu'à 80 % selon certains sondages. Mais bon, il y aurait du mieux chez les jeunes générations. Quels machos, ces anciens !

Pas les poils quand même !

Bon, on veut bien faire les courses, passer l'aspi, mais faudrait voir à garder des signes distinctifs tout de même, genre poils aux pattes. On ne va pas s'épiler comme les copines ou... Alain Bernard ou Alberto Contador. Et pourtant, vous avez vu les morceaux, c'est du mec, ça, du vrai. Musclé, et qui peut monter cinq cols dans la journée. Tranquilles, les gars. Ils se rasent juste pour aller plus vite dans l'eau ou éviter des infections en cas de chute. Et puis, il reste Chabal.

HOMO (SEXUALITE)

GAY SAVOIR

L'aveu

« Faut que je t'avoue un truc.
– Vas-y, crache le morceau.
– Oui, mais c'est un peu difficile. J'ai peur qu'on ne soit plus potes.
– Quoi, tu veux être trader, serial killer, apprendre à jouer de l'accordéon. Tu sais que je supporte pas, l'accordéon.
– Non, je suis homo.
– Ouf, tu m'as fait peur. »

Différents ?

Avoir des relations sexuelles à partir d'un certain âge, c'est fréquent. Choisir comme partenaire une personne du même sexe que le sien, ça l'est moins. Est-ce anormal pour autant ? Non. Ce qui est anormal, en revanche, c'est de juger quelqu'un en fonction de sa couleur, de sa sexualité ou de la marque de ses tongs. À moins d'être abruti et de ne pouvoir concevoir que chaque individu est différent et fait des choix que l'on doit respecter dans la limite où ils ne nous sont pas non plus imposés.

Mais il y a danger ?

Pourquoi croire que les homos plus que les hétéros sautent sur tout le monde ? Pourquoi les insulter ou traiter de « sale pédé » le premier pote qui te fait un croche-pied ? Bêtise et héritage d'une société qui a malmené (et parfois pire, voir « répression » ci-contre) les homos. Alors ne suis pas le troupeau et ses « gros pédés » lancés à la cantonnade. Tu ne vas tout de même pas lyncher quelqu'un parce qu'il n'est pas comme toi ! C'est criminel.

Et toi ?

Peut-être n'es tu pas sûr de ta sexualité ? Ce qui peut arriver, surtout à la puberté, l'âge des premiers émois sentimentaux. Comment savoir si on n'est pas amoureux d'un copain avec qui on adore passer les week-end ? Le temps seul et la pérennité des sentiments permettront de répondre à cette question.

L'homosexualité n'a pas toujours été considérée comme une tare ou une abomination. Plus ou moins admise dans l'Antiquité, elle a été fortement réprimée ensuite en Occident. Rappelons qu'elle a valu au mieux la prison mais aussi le bûcher ou les chambres à gaz à de nombreuses personnes et n'a été dépénalisée, en France, qu'en 1982. Depuis, des lois françaises et européennes, combattent l'homophobie et les discriminations envers les homosexuels.

Outing

Faire son « outing » signifie révéler à son entourage familial, amical, professionnel, son homosexualité. Cet acte peut sembler anodin (comme le serait celui d'annoncer qu'on a une copine lorsqu'on est un garçon) mais reste difficile pour beaucoup d'homosexuels craignant d'être rejetés parce qu'ils sont différents.

Pas possible pour les homos en France. Depuis 1999 toutefois, le Pacs, qui est un contrat, autorise l'union civile entre homosexuels ou hétérosexuels (avec droits et devoirs entre pacsés). Notons que le mariage homosexuel existe dans 8 pays sur 27 en europe.

Help !

Le Refuge est l'une des associations destinées à aider les jeunes homosexuel(le)s en difficulté sociale, familiale ou psychologique. Ils sont à l'écoute 24 h/24 au 06 31 59 69 50.

De fil en aiguille

C'est l'histoire d'un gars qui aime une fille. Et puis, ça arrive, le gars couche avec la fille. Qui l'aime. Et lui aussi, il l'aime. Et peut-être bien qu'ils s'aimeront longtemps, ou toujours. Mais avant, le gars ou la fille, avait aimé une autre fille ou un autre gars qui eux aussi avaient peut-être aimé un autre gars ou une autre fille. Et dans l'histoire, pas de chance, y en avait un ou une qui avait une IST.

C'est quoi ? Comme un rhume ?

Comme leur nom l'indique, les infections sexuellement transmissibles (IST) ne se propagent pas par éternuement, poignée de main ou par un baiser mais lors des rapports sexuels. Cependant, certaines personnes peuvent être touchées par ces maladies sans avoir eu la moindre relation sexuelle. C'est le cas par exemple d'enfants contaminés par le VIH (virus du sida) par leur mère ou de personnes transfusées lors d'une opération ou d'un traitement médical nécessitant un apport de sang « extérieur ». Sans même savoir qu'elles sont porteuses du virus, elles peuvent alors le transmettre à leur compagnon. Mais alors, comment faire pour éviter cela ?

Vos papiers, s'il vous plaît !

Alors non, si un jour tu dois avoir une relation sexuelle, tu ne vas pas demander comme ça, d'emblée, un certificat de bonne santé. Ce n'est pas très classe. Il vaut mieux en parler et puis, à deux, aller faire un test de dépistage. En attendant, abstiens-toi et, si tu n'y arrives pas… protège-toi ! Pas besoin d'une armure. Un préservatif également appelé capote ou, plus chic, condom suffira. C'est le moyen le plus sûr pour se protéger des IST. Tu pourras en trouver dans les pharmacies, les supermarchés, chez les buralistes et, si tu es fauché, ils sont donnés gratuitement dans les infirmeries de certains établissements scolaires, par des associations de lutte contre le sida ou le Planning familial. À toi de chercher.

LES PRINCIPALES IST

MALADIES	SIGNES D'ALERTE	COMPLICATIONS
LES CHLAMYDIASES Causées par des bactéries, les *chlamydiæ*. C'est la plus fréquente des IST. Les porteurs sains de *chlamydiæ* sont très nombreux. **Pronostic** Guérison par antibiotique dans la majorité des cas, à condition que les deux partenaires soient traités.	**Chez l'homme** • Démangeaisons au niveau de l'urètre ; • Légères brûlures en urinant ; • Écoulement clair et très discret au bout du gland ; • Parfois aucun signe. **Chez la femme** • Pertes blanchâtres ou jaunâtres assez abondantes ; • Infections urinaires discrètes ; • Parfois aucun signe.	**Chez l'homme** • Urétrite épididymite, souvent sévère ; • Conjonctivite ; • Décès dans 5 % des cas. **Chez la femme** • Infections des trompes de Fallope, très fréquentes chez les jeunes (80 % des cas concernent les moins de 20 ans !), d'autant plus dangereuses qu'elles sont le plus souvent très discrètes. Risque important de stérilité définitive ; • Conjonctivite ; • Risques importants pendant la grossesse et à la naissance.
LA SYPHILIS Appelée vulgairement la « vérole ». Causée par un microbe, le tréponème. Se transmet surtout par voie sexuelle. Après avoir régressé, les cas de syphilis augmentent depuis quelques années. La syphilis évolue en trois stades dits primaire, secondaire et tertiaire. **Pronostic** Guérison rapide si le diagnostic est précoce.	**SYPHILIS PRIMAIRE :** • Apparition d'un bouton dur habituellement sur les organes génitaux, mais pas obligatoirement (bouche, anus) ; • Découverte d'un petit cratère rougeâtre d'aspect brillant ; • Gonflement indolore d'un ganglion ; • Ces signes (souvent cachés chez la femme) disparaissent normalement au bout d'un mois ou deux, ce qui ne signifie pas que l'on soit guéri. **SYPHILIS SECONDAIRE :** • Maux de tête, nausées, douleurs multiples, courbatures ; • Petites taches roses discrètes sur le thorax et les membres (roséole) ; • Ongles cassants, perte des cheveux, atteintes de la peau ; • Plaques muqueuses contagieuses.	• Une fois passées les phases primaire et secondaire, la syphilis évolue longtemps sans symptôme. Le troisième stade dit tertiaire expose à des complications graves et irréversibles (cardio-vasculaires et neurologiques). **Chez la femme** • Une femme infectée peut contaminer son enfant pendant la grossesse et l'allaitement.
LES HEPATITES VIRALES Causées par plusieurs virus qui donnent différentes formes de maladies. Ne se transmettent pas exclusivement (et pour certaines pas du tout) par voie sexuelle. Vaccin efficace pour l'hépatite B. **Pronostic** Guérison rapide si le diagnostic est précoce.	• Signes proches de ceux de la grippe ; • Nausées, vomissement, grande fatigue ; • Jaunisse.	• Comme beaucoup de maladies à virus, guérissent spontanément avec possibilité de rechutes périodiques ; • Complications très graves dans 10 % des cas d'hépatite B.
LA TRICHONOMASE Causée par un parasite microscopique, le *trichomonas vaginalis.* **Pronostic** Guérison rapide si les partenaires sont traités en même temps.	**Chez l'homme** • Le plus souvent aucun signe. **Chez la femme** • Simples démangeaisons ; • Sensations de brûlures au niveau de la vulve et du vagin ; • Pertes malodorantes (leucorrhées) ; • Douleurs pendant les rapports.	**Chez l'homme** • Inflammation de la prostate (rare). **Chez la femme** • Risque à long terme de favoriser un cancer du col de l'utérus.

MALADIES	SIGNES D'ALERTE	COMPLICATIONS
LA GONOCOCCIE Appelée vulgairement « chaude-pisse ». Causée par une bactérie, le gonocoque. Une des IST les plus fréquentes. **Pronostic** Guérison rapide si le traitement est précoce.	**Chez l'homme** • Brûlures en urinant ; • Écoulement de pus à l'extrémité de la verge. **Chez la femme** • Le plus souvent aucun signe ; d'où l'importance pour l'homme de prévenir toutes ses partenaires qui risquent une stérilité définitive et sont contagieuses sans le savoir.	**Chez l'homme** • Atteinte de la vessie, de la prostate et des testicules. **Chez la femme** • Infection des trompes de Fallope (salpingite) entrainant un risque très élevé de stérilité définitive.
LES CANDIDOSES Appelées aussi le « muguet ». Causées par des champignons du genre *candida*. Se transmettent à l'homme uniquement par voie sexuelle. Chez la femme, transmission possible par du linge souillé, par le sable des plages et par autocontamination (les matières fécales contiennent des *candida*). Attention donc à l'hygiène intime. **Pronostic** Guérison après un traitement long.	**Chez l'homme** • Démangeaison au niveau du gland ; • Le plus souvent aucun signe. **Chez la femme** • Pertes blanchâtres (aspect de lait caillé) ; • Brûlures au niveau de la vulve ; • Douleurs pendant les rapports ; • Signes discrets ou inexistants.	Les partenaires doivent être traités en même temps. Des mesures d'hygiène s'imposent pour éviter les récidives.
LES CONDYLOMES Appelées aussi « verrues vénériennes ». Causées par un virus. **Pronostic** Traitement par électrocoagulation ou par neige carbonique. La guérison définitive est rare. Les partenaires doivent être traités simultanément. Une excellente hygiène intime s'impose.	Présence de petites excroissances à surface dentelée. **Chez l'homme** • Sur le gland, les replis du prépuce, le méat urinaire ou l'anus. **Chez la femme** • Sur la vulve (surtout sur les petites lèvres).	**Chez la femme** • Risque très rare d'évolution cancéreuse sur la vulve ; • Favorise les cancers du col de l'utérus.
L'HERPES GENITAL Causé par un virus, il représente 10 % des IST. Il favorise les autres IST. L'herpès est très contagieux pendant les poussées, beaucoup moins pendant les périodes de transition : un porteur sain peut être contagieux. **Pronostic** Pas de traitement réellement efficace. • 60 % des sujets atteints guérissent seuls, à moins qu'ils ne soient recontaminés. Dans ce cas, leurs chances de guérir à nouveau spontanément diminuent. • 40 % vont continuer à héberger le virus après la primo-infection. Ils connaîtront des récidives.	**Chez l'homme** • Petites cloques remplies d'un liquide transparent (réunies en « bouquet ») sur la verge ; • Parfois, inflammation douloureuse du gland ; • Rarement, inflammation de l'urètre avec écoulement discret au bout du gland ; • Dans 20 % des cas, aucun signe. **Chez la femme** • Douleurs au niveau de la vulve et du vagin ; • Brûlures en urinant ; • Fièvre et sensation de faiblesse ; • Au niveau de la vulve et du vagin, petites cloques remplies d'un liquide transparent ; • Dans 20 % des cas, aucun signe.	**Chez l'homme** • Peut favoriser le cancer de la prostate. **Chez la femme** • Les risques de contamination du bébé sont importants au moment de l'accouchement ; • Peut favoriser le cancer du col de l'utérus (frottis réguliers obligatoires).

JALOUSIE

JALOUX, MOI ?

Dans le pré du voisin...

« Il a trop de chance !
T'as vu son super portable !
J'aimerais trop avoir le même !
- Et son fut, et ses baskets, la classe !
- Moi, je veux ses cheveux !
- Hé, on le scalpe ? »

Et moi ? Et moi ? Et moi ?

Le mec jaloux, il a toujours l'impression que c'est mieux ailleurs. Il compare tout ! Au lieu de regarder la chance qu'il a, il pense à ce qu'il n'a pas... Du coup, il lui est impossible d'être heureux car il lui manque toujours quelque chose. Et la jalousie, c'est fatigant aussi : toujours surveiller ce qu'ont les autres, compter le nombre de frites dans l'assiette de ses potes pour être sûr d'en avoir autant, quelle vigilance ! Et quelle perte de temps !

Tous différents !

Pour ce qui est du physique, être jaloux est pareillement inutile. Personne n'est responsable de sa tête et de sa taille : tu nais grand, petit, maigre, large, avec un gros nez, de petites oreilles... Différent des autres, en un mot, mais fort heureusement ! Une armée de clones serait pour le moins terrifiante ! Le beau gosse que tu envies a peut-être des mollets velus, et il envie peut-être les tiens. On a tous des complexes, des choses moins réussies. Un bon conseil, fais avec !

Laisse-les vivre !

Plus compliqué : la jalousie en amitié ou en amour ! Les « jaloux ès sentiments » pensent que leurs potes n'appartiennent qu'à eux, et leur copine aussi ! Un peu comme un animal de compagnie... Du genre, un de leurs potes mange à la cantine avec quelqu'un d'autre, tu peux être sûr qu'il aura droit à une scène. Leur copine va à une soirée chez un autre ? Au secours ! Ils n'en dorment plus la nuit et s'imaginent plein de choses folles. En gros, s'ils pouvaient leur acheter une laisse pour toujours savoir où ils sont, ils le feraient. Leur vie est un enfer. Un bon conseil : apprendre vite que personne n'appartient à personne et se raisonner. C'est la clé du bonheur !

Question de thunes

C'est sûr, dans la cour, il y a des élèves fortunés et d'autres qui le sont moins. Du coup, pas toujours facile de ne pas être jaloux de leur dernier portable high-tech, de leur scooter qui va bien, de leurs fringues à la mode. Mais, en même temps, avoir un super portable ne rend pas plus heureux. Car tu le sais : « L'argent ne fait pas le bonheur » (eh oui, parfois, il faut ressortir les bons vieux dictons des tiroirs empoussiérés !) Donc pas la peine d'être jaloux de ce qu'ont les autres et de leurs signes extérieurs de richesse !

JEUX VIDÉO

À TOI DE JOUER !

DES JEUX QUI METTENT LA TÊTE EN ÉBULLITION

DES JEUX QUI CAPTIVENT

À toi de choisir !

Mais n'oublie pas, tout cela est virtuel. Et la vraie vie est bien plus jolie !

Bienvenue au bagne

« Tu as fait tes devoirs ? Et ta chambre, elle est rangée ?
Pour préparer le dîner, je veux bien un petit coup de main !
Et ton frère, tu veux pas l'aider pour ses tables de multiplication...
– Ahhhhh ! » (Toi qui cries pour avoir un instant de répit et de liberté)

LIBERTÉ

LIBERTÉ, JE CRIE TON NOM !

Pour la soirée de samedi, tes parents te disent minuit, c'est minuit. Si tu veux qu'ils te donnent plus de liberté, il faut qu'ils puissent avoir confiance en toi. Et que tu tiennes tes engagements.

Chef, oui chef !

Cours soporifiques, chambre à ranger, horaires à respecter... La liste des obligations est encore longue. Tu te demandes où est ta liberté quand tout le monde décide pour toi ! Prisonnier d'un emploi du temps imposé ? Ton geôlier en chef n'est pas très conciliant. Son nom ? Les parents.

C'est pour ton bien

Ta mère limite l'accès aux jeux vidéo ? Le deal – moins de jeux vidéo contre plus d'exos de maths – ne te convient pas. Tu sens l'entourloupe ! Mais si ta liberté est encadrée, c'est pour que tu bénéficies d'une plus grande liberté demain. Tes parents ne veulent pas qu'un échec scolaire t'empêche d'exercer plus tard le métier auquel tu aspires.

FREE

Les choses qui t'empêchent d'être libre : drogue, alcool...

Complètement torché à la dernière soirée, tu t'es grillé auprès de la fille qui te plaisait. Sur le moment, tu ne t'es rendu compte de rien. Le hic, c'est le lendemain. Tu regrettes. La prochaine fois, tu sais que tu ne devras pas boire. Pour rester libre et conscient de tes paroles et de tes gestes ! Avec la drogue, ta liberté n'est pas kidnappée seulement le temps d'une soirée. Elle est prise en otage pour un bon moment. Le mieux, c'est de se construire un rempart pour s'en préserver. Le plus efficace : ne jamais commencer à en prendre !

Faire ce qui me plaît !

« Vivement que je devienne adulte, je pourrai faire ce que je veux ! » Mais la liberté, c'est quoi ? La liberté totale n'existe pas, il y a toujours des contraintes. Choisir, c'est apprendre à renoncer ! Si tu arrêtes l'entraînement de foot, adieu ta carrière de footballeur !

Respect, mec

Ton grand frère te demande de baisser le son ? Il n'arrive pas à travailler. Tu es libre d'écouter de la musique. D'accord, mais il est aussi libre de travailler dans le calme. Difficile de concilier deux libertés contradictoires. Ce n'est possible que si chacun respecte la liberté de l'autre. En réduisant le son, tu pourras lui permettre de travailler plus calmement. À charge de revanche !

Cultive ta différence !

La liberté, c'est aussi refuser les diktats imposés par la société. Libre de ne pas tomber dans la nouvelle mode vestimentaire, libre de ne pas acheter le téléphone portable dernier cri, libre de ne pas fumer dans ton groupe d'amis...

Voir aussi
Clopes
Drogue
Études
Famille
Potes
Tribu

FREEDOM

LOOK D'ENFER !

No look

« T'as le look, coco !
– Tu trouves ?
– Non, c'est une vieille chanson des années 1980 !
– Alors, ça va pas mon look ?
– Tu sais, le no look, c'est aussi un look ! »

Look at me !

« T'as vu son look comme il assure grave ! » ou « Vas-y, son look, il craint carrément ! » C'est sûr, le look est très présent dans la cour de récré : il y a tellement de looks différents que, parfois, on se croirait au carnaval !

Ton look, c'est toi

Le look, c'est tout un tas de choses : tes vêtements, mais aussi la coiffure, ton sac, ta manière de marcher ou de te tenir (droit comme un i ou un peu – beaucoup – avachi), ta silhouette… En choisissant ton look, tu décides à qui tu vas ressembler, à quelle bande tu appartiens. Pour tous les genres, il y a un look. Les rappeurs, les branchés, les punks, les classiques... En fonction des bandes, les codes vestimentaires changent, les coiffures aussi et même la manière de parler ! Tout ça fait partie de ton look.

Liberté surveillée

En fait, concernant ton look, tout est permis. Bon, OK, il faut quand même voir avec tes parents... Si tu es tellement flashy que tu ressembles à un sapin de Noël, ça ne va pas le faire ! Et surtout, si tu décides d'adopter le look « cradoque j'aime pas la douche et j'embaume à des kilomètres », il est certain qu'ils vont vite mettre le holà, et qu'ils auront bien raison. Être propre, ça vaut pour tous les looks !

Selon les circonstances...

Pense à adapter ton look à chaque situation... Si tu vas à un mariage, exit le jean-baskets, vive le pantalon-veste ! En fait, ton look, c'est la première chose que les gens voient de toi. Avant de savoir ce que tu as dans la tête. En gros, si tu as vraiment l'air d'un clown le jour de la rentrée, pas sûr que les profs pensent que tu es un garçon super sérieux... Alors, même si « l'habit ne fait pas le moine » (dicton sorti d'un tiroir poussiéreux de grand-mère mais très juste pour autant), fais gaffe à ton look !

Voir aussi
Argent
Beaux Gosse
Cheveux
Douche
Liberté
Potes
Tribu

Uniformes ?

Le look, c'est sûr, ça sert à te démarquer des autres et à affirmer ta personnalité. Mais ça sert aussi à être comme... tes potes. Dans ta bande, vous portez tous les mêmes marques. C'est un peu l'uniforme qui permet de dire : « Je suis de cette bande-là, pas d'une autre. » Mais ces vêtements que tu mets tout le temps, es-tu certain qu'ils te plaisent ? Ou bien les portes-tu juste à cause de leurs marques ? Il y a tellement de pubs pour les marques de vêtements qu'on ne sait plus bien... Vouloir à tout prix des vêtements à la mode, c'est une chose, mais n'oublie pas : l'essentiel, c'est que tu sois bien dedans ! Si tu es à l'aise dans tes vêtements, si ton look te correspond, tu te sentiras bien mieux que si tu t'habilles juste pour être comme tes potes ! Tu vois, c'est un peu comme si la mode c'était de porter des chaussures trop petites. Tu le ferais ? Pas sûr...

QUAND ÇA VEUT PAS...

Boire la tasse

« Purée : j'ai pas vérifié mon sac et ma mère m'a mis mon maillot 8 ans avec des oursons : la honte ! En sortant de la piscine, j'ai mal pris un trottoir, j'ai voilé ma roue et j'ai dû courir pour retrouver Zoé qui ne m'a pas attendu et m'a laissé un texto : " Retourne plonger. Avec moi, c'est coulé ! ". »

M(oi) le Maudit

Peut-être as-tu le sentiment d'être un loser : tes résultats scolaires ne te semblent pas à la hauteur de ton travail, tu collectionnes les râteaux auprès des filles, tu perds sans cesse tes clés et ne manques pas un lampadaire dans la rue. Tu as tort, mais peut-être un peu raison. Raison si des événements malheureux te touchent auxquels tu ne peux rien (un oiseau sur une branche lâche une fiente à l'instant même où ta mèche passe sous ce perchoir). Mais tu ne dois pas te considérer comme un éternel perdant si tu ne réussis pas sitôt que tu tentes de nouvelles expériences. Une vie faite seulement de succès, ça n'existe pas, hormis dans certains journaux et à la télé pour faire rêver les gogos.

Anti-lose

Mélanger un pharmacien avec un psy, vous obtiendrez un Coué (Émile de son prénom) qui donna son nom à la méthode qu'il mit au point. Elle consiste à avoir des idées positives, à recourir à l'imagination et à la volonté et à se dire que « tout va bien ». Finie la lose : chaque matin, une dose de « Je suis bien, bon, beau, fort… » et tu vas casser la baraque. Comme l'on dit, ça ne peut pas faire de mal, moins que de se lever en pensant que l'on est moche, bête et nul… Non, tu vas bien, tout va bien…

Pas de ma faute

Comme tu n'as pas la mémoire d'un bigorneau, tu te souviendras des causes de certains échecs pour ne pas reproduire tes erreurs passées. Évidemment, pour la fiente, à moins de se faire greffer un parapluie ou une capuche… Pour les clés, tu essaieras de bien les ranger. Les filles, tu les aborderas moins frontalement, en remplaçant, par exemple, les compliments sur leur postérieur par d'autres sur leurs yeux. Et les sales notes, demande à tes profs ce qu'il convient de faire pour les améliorer. Cela exige juste un peu d'humilité, de reconnaître s'être trompé. Ainsi éviteras-tu de nouveaux échecs qui finiraient par te persuader que tu ne vaux rien. Cela t'empêchera aussi de devenir parano en te disant que le monde entier t'est hostile.

Voir aussi

Bad
Études
Liberté
Stress
Redoublement
Zen

Ciné lose

Voici quelques (anti)héros pour se dire que, finalement, on a de la marge dans la poisse : Perrin, interprété par Pierre Richard dans *La Chèvre*, The Dude dans *The Big Lebowsky* ou, vraiment plus ancien, le personnage créé et interprété par Chaplin, Charlot qui, chaque fois, s'en sort plutôt bien.

GAME

MACHO

PÉNIS POWER ?

Pensées de Macho Man (extraits)

Fille =
Lessive, cuisine, ménage, vaisselle, enfants.
Ne travaille pas en dehors de la maison sauf si on le décide.
Ne regarde ni ne parle aux autres garçons.
Se tait.
Surtout ne conduit pas.
M'obéit...

BOY

Faux départ

« Je peux venir avec vous au stade ?
– Ben non. Tu sais bien, les gonzesses, ça comprend rien au sport. Sauf si on vous met un bâton de rouge à lèvres en bout de piste, vous ne courez pas et vous vous arrêtez avant la ligne. Allez, fais pas la tête, on se voit demain. Tu mettras ta jupe, sinon ça n'a pas d'intérêt.
– Ben, mate bien les cuisses poilues de tes copains, parce que mes jambes, t'es pas près de les revoir ! »

Macho bio ?

C'est quoi, exactement, un macho ? Un type qui met en avant sa virilité et qui pense que la moitié de l'humanité, les femmes, lui est inférieure physiquement et intellectuellement et qu'elle est destinée aux taches subalternes et à le servir, lui, le mâle. Serait-ce une pathologie naturelle ? Une maladie dont les hommes souffriraient depuis la préhistoire et due à la génétique qui les dota de muscles un peu plus gros (mais pas toujours) que ceux de leurs compagnes ? Plutôt une sale habitude conservée à travers les siècles et qui commence tout juste à prendre du plomb dans l'aile. Depuis cent cinquante ans environ, les lois mettent en place un cadre pour rendre effective l'égalité homme-femme (droit de vote, éducation, etc.) et condamner les manifestations les plus odieuses du machisme (violence, injures sexistes, etc.). Mais les comportements envers les femmes (ou les gays, autre cible habituelle des machos) changent moins vite, hélas, que les lois ne sont votées.

Viril supplément cerveau

« Mais je suis un mec, je dois me comporter comme tel », objecteras-tu si on te traite de macho. Alors oui, tu peux être fort, musclé, poilu, viril, courageux... mais intelligent aussi et ne pas considérer tes copines, ta mère ou ta sœur comme des sous-êtres. Naître avec un pénis ne donne aucun privilège. Mais ce n'est pas une tare non plus, comme le suggèrent certaines filles, celles qui n'ont connu que des gros lourds et des goujats – elles ne t'ont pas croisé, pauvresses ! Il est possible d'être un homme dont les attributs (tu vois ?) ne vont pas tomber comme feuilles en automne si, en plus d'être viril, on est courtois, sympa jusqu'à... laver les vitres. Nooon ! Ben si.

Journal intime de Macho Man

1er janvier : seul.
16 mars : seul.
24 juillet : plan avec Louise. Lui ai donné à lire mes pensées = seul.
11 septembre : plan avec Leila. Gagné !
12 septembre : Leila a lu mon carnet = seul.
18 novembre : Seul. Poubelle, le carnet et mes idées.

Voir aussi

Copine
Filles
Gentleman
Homme
Maman
Potes

MAL TRAITANCE

LA LOI DU PLUS FORT

« Il me traite mal
– Qu'est-ce qu'il t'a dit ?
– Que j'avais l'air d'un cocker russe avec ma chapka !
– Ben je ne trouve pas qu'il te traite trop mal... »

Numéros utiles

En cas de maltraitance, appelle ces numéros :

– Allô Enfance maltraitée : 119

– Fil Santé jeunes : 32 24

Inacceptable

La maltraitance, ce sont tous les mauvais traitements que fait subir quelqu'un à des personnes plus faibles : enfants, personnes âgées, handicapées... Inacceptable, elle peut prendre de multiples formes. Dans les médias, tu entends souvent parler des maltraitances les plus graves : attouchements, viols, actes de barbarie, torture... Ces actes ont parfois même lieu dans la famille des victimes.

Moquerie et compagnie

Mais la maltraitance existe aussi sous de nombreuses formes et on ne la voit pas toujours. Se moquer de quelqu'un en permanence par exemple, c'est de la maltraitance. Cela a un réel impact sur la victime et cela peut la conduire à faire des choses très graves, comme la fugue ou le suicide.

Toi aussi

Heureusement, dans bien des cas, des adultes s'en rendent compte avant et évitent le pire ! Mais toi aussi, à ta mesure, tu peux agir. Alors si un de tes potes passe son temps à se moquer d'un autre élève, n'attends pas que cela dégénère : rabats-lui son caquet ! D'ailleurs, la moquerie, ça apporte quoi ? L'humiliation est aussi de la maltraitance, tout comme la privation de sommeil ou de nourriture.

Voir aussi
Coup
Pédophilie
Viol

À l'aide !

Si tu penses qu'un de tes potes ou une de tes amies a de gros soucis, va tout de suite en parler à quelqu'un. À tes parents, en premier lieu, à l'infirmière du collège, également. Elle décidera de ce qu'il faut faire. Pas la peine de laisser un bon copain ou une bonne copine dans une situation dangereuse ! Dans ces cas-là, plus vite on peut prendre les choses en charge, mieux c'est !

MAMAN

C'EST MA MÈRE !

« Waouh !

T'as vu la nana, là-bas, dans le grand bassin ?

– Ben non. Tu sais bien que sans lunettes je ne distingue pas un paquebot d'une pâquerette.

– Dommage parce qu'elle est vachement chouette. C'est vraiment une femme comme ça que j'aimerais avoir plus tard. Tiens, marrant, elle vient vers nous.

– Ah bon ? Ah oui... Hum... T'es arrivée, maman ?

– Oh pardon. Enfin, je veux dire bonjour, madame. »

Spécial culture

N'hésite pas à lire *Le livre de ma mère*, une histoire témoignage de l'écrivain Albert Cohen, qui raconte avec émotion mais sans mièvrerie le lien formidable qui l'unissait à sa mère.

Déjà divorcés ?

Alors voilà, à présent, même si tu as une très bonne vue, si tu estimes que ta mère est toujours aussi jolie, tu ne la trouveras pas chouette au point, comme beaucoup de petits garçons, de vouloir encore l'épouser. Tu as grandi et une partie des rapports que tu avais avec elle se modifient, cessent ou te gênent. La soirée sur le sofa où elle te berce et te câline, non merci. Le shampooing et le bain, c'est sans jouets, et aussi sans elle. Normal, maintenant, tu peux et veux te débrouiller tout seul. Du coup, au début, les nouvelles relations avec ta mère ne sont plus si faciles, voire parfois un peu douloureuses et conflictuelles.

Passe une bonne journée, ~~mon loulou~~, ~~mon grand garçon~~, mon fils.

Maman

Fils ingrat ?

Ta mère ne te lange plus et les baisers, tu préfères en recevoir de la fille de tes voisins. Mais alors, à quoi peut bien encore servir ton ex – « petite maman » ? À te nourrir, à laver ton linge, à te donner de l'argent ? Certes, mais si tu penses que ta mère n'a qu'un rôle utilitaire, tu risques le label « fils ingrat ». Non, tu ne veux pas devenir cela.

Je rentrerai tard. il y a des lasagnes dans le four. À faire réchauffer. Thermostat 7, 10 minutes. ou l'inverse.

Maman

Je t'aime

Maman

MUMMY

La table du petit déjeuner ne se débarrassera pas toute seule...

Maman

LOVE

Maman

L'homme nouveau

Tu ne veux plus être considéré comme un enfant : alors n'agis plus en tant que tel, assume-toi un minimum, ne pense plus que les autres vont t'assister au moindre problème et participe à la vie familiale. Et pas seulement en passant l'aspirateur.

Un petit coup de pouce !

Concernant plus particulièrement ta mère, tu peux l'aider à franchir cette période pas facile non plus pour elle, où elle « perd » son petit garçon qui, s'il n'accepte plus les papouilles, lui donnera toujours des marques d'affection, et essaiera de ne pas se braquer à la moindre remarque. En contrepartie, tu peux être sûr qu'elle continuera à t'aimer, à t'aider et à t'écouter... malgré tes grands pieds.

Voir aussi

Famille

Papa

LOVE
MUMMY

MASTU[RBATION]

COMMENT ?

Ça marche pas ?

Tes copains t'en ont parlé. Alors, pour voir, tu as essayé. Puis... il ne s'est rien passé. Enfin, tu as des érections, mais c'est tout. Tu t'inquiètes parce que toi, tu ne parviens pas à éjaculer. C'est que ton « heure » n'est pas encore arrivée. Et ce sera quand ? Comme pour tout ce qui concerne la puberté, il n'y a pas d'âge fixe. En général, on le sait lorsqu'une nuit on se réveille avec une sensation bizarre et surtout un pyjama mouillé : ce n'est pas de l'incontinence comme lorsqu'on est petit mais une éjaculation, la première. Cela se produira de temps à autre : on appelle cela des pollutions (pas classe, ce mot) ou émissions nocturnes qui ne surviennent plus (mais là encore, aucune personne ne ressemble à l'autre) en grandissant.

Dialogues de sourds

« T'es sourd ?
– Quoi ?
– Je m'en doutais. On me l'avait dit, ça rend sourd, t'es foutu.
– Sourd ? Non, pourquoi. T'es juste pas obligé de me poser une question quand une ambulance passe avec sa sirène ! »

Malentendu

Non, non, la masturbation ne rend pas sourd, malgré ce qu'on disait autrefois aux jeunes gens pour leur faire peur et les détourner de cette pratique. Ça ne rend pas non plus faible, aveugle ou idiot. La masturbation consiste simplement à se caresser non les pieds ou le lobe de l'oreille mais les organes génitaux, en vue d'éprouver du plaisir. Cela commence très tôt chez certains enfants qui se touchent le sexe en public, se font alors réprimander, afin d'intégrer la notion de pudeur. Si, petits, les caresses provoquent du plaisir, plus grands, à partir de la puberté, elles peuvent aboutir à l'émission de sperme, appelée éjaculation.

RBATION

Affaire privée

Pas inquiétant, donc, se masturber ne provoque aucune maladie. Mais ne pas en avoir envie n'a rien non plus d'anormal et ne signifie pas que l'on est « attardé ». Les pulsions sexuelles – ce que l'on appelle la libido – sont variables d'un individu à l'autre ; elles peuvent être quotidiennes ou rares, il n'y a pas de norme. En tout cas, c'est une affaire privée, qui n'est pas honteuse, mais n'a pas non plus à être dévoilée ni à faire l'objet de « concours » ou de vantardises, sauf à vouloir passer pour un « obsédé », ce qui est sans doute le type de garçon le moins prisé des filles ! Et c'est toujours moins bien qu'une vraie relation partagée, dans l'amour et la confiance. Le sexe tout seul, cela reste du sexe tout seul.

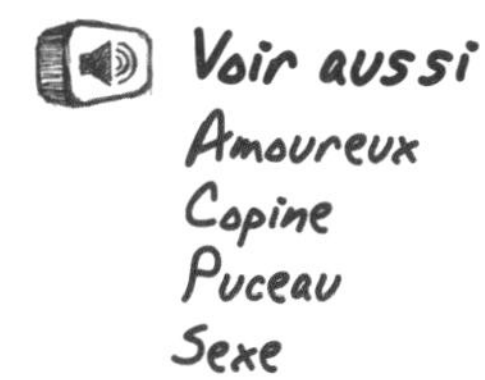

MEILLEUR POTE

À LA VIE, À LA MORT

Michel de Montaigne, parlant de son meilleur ami Etienne de la Boétie :

« Parce que c'était moi, parce que c'était lui. »

Master class

– Le prof : « Leçon sur l'amitié. Charles-Emmanuel, qui a dit : "Parce que c'était lui, parce que c'était moi" ?

– Charles-Emmanuel, tout bas, à son meilleur pote Robert-Claude : Aide-moi, j'en sais rien, moi, de son truc.

– Robert-Claude : Dis que c'est Mickael Montaigne qui causait de son tepo Truc de La Boétie.

– Charles-Emmanuel : Mickael Truc, m'sieur.

– Le prof : Au piquet, Charles-Emmanuel ! »

He is the best !

Ton meilleur pote, c'est le mec que tu verras encore dans des années. Tu ne peux pas te passer de lui, lui non plus, d'ailleurs, c'est ça qui est bien. Des amis, tu en as des tas (surtout sur Facebook). Des vrais amis, des vrais de vrai, tu en as beaucoup moins : c'est le noyau dur de ta bande. Mais ton meilleur pote est unique ! Il n'y en a qu'un seul. Il occupe une place immense dans ta vie. Vous partagez plein de trucs, vous êtes inséparables, unis comme les doigts de la main.

Attentif

Ton meilleur pote, il comprend tous tes problèmes et il est toujours prêt à t'aider, même au milieu de la nuit ! Puis quand ça ne va plus, pas de soucis, un bon coup de gueule, une bonne prise de tête et c'est reparti ! Vous vous connaissez par cœur ; même pas besoin de lui parler pour savoir que tout va mal ou qu'il est super heureux ! Il fait une tête de trois pieds de long ? Tu sais pourquoi, tu sais quoi lui dire et tu connais d'avance ses réactions ! C'est pas beau, ça ?

Prends soin de lui !

Bien sûr, avoir un meilleur pote, ça implique aussi deux, trois choses : si tu le traites comme un vieille chaussette, votre amitié va vite s'éteindre. Faut en prendre soin, faut faire un peu gaffe à ce que tu fais et à ce que tu dis. Mais ce n'est pas une raison pour faire tout comme lui ; vous êtes des potes, pas des photocopies. Le pire que tu puisses lui faire, c'est de trahir ses secrets. Alors, si tu vas brailler à qui veut l'entendre qu'il est amoureux de Lola qui est trop jolie mais qui ne veut pas sortir avec lui, ça risque de créer des embrouilles...

Voir aussi

Confiance
Facebook
Potes
Tribu

Ne l'oublie pas !

Le jour où tu auras une copine, n'oublie pas ton meilleur pote. Continue à faire des choses avec lui, comme avant. Tu ne partages pas les mêmes délires avec lui ou avec elle. L'amour n'exclut pas l'amitié !

Les 10 commandements du meilleur pote :

- Tu ne lui mentiras point.
- Tu le soutiendras dans les coups durs.
- Mais tu ne couvriras pas ses bêtises si elles le mettent en danger.
- Tu partageras ses joies.
- Tu fêteras ses succès.
- Tu ne lui piqueras pas sa petite amie.
- Tu l'encourageras à être meilleur.
- Tu l'éloigneras de ce qui est mauvais pour lui (tabac, alcool, drogues).
- Tu n'oublieras pas son anniversaire.
- Tu lui resteras fidèle.

AMITIÉ

MOR
FALE
J'AI FAIM !

À l'âge où son corps grandit, le garçon a besoin d'un apport calorique dont la quantité et la diversité peuvent étonner :

• Pizza le matin. Cela ne lui fait pas peur. Même froide.

• Hamburger-frites le midi. Ça, c'est l'entrée. Suivis d'un steak-pommes sautées pour le plat de résistance (non ce n'est pas la même chose, pas du tout). Suivi d'un plateau de fromages et de desserts variés : crèmes chocolatées, cookies, brownies, muffins. Pas de fruits, c'est pas digeste !

• Le goûter est un repas à part entière. La pizza et le hamburger y sont toujours les bienvenus. Arrosés d'un petit soda, ça passe tout seul !

• Le dîner est plus léger : poulet rôti, pâtes à la bolognaise et raviolis à la viande.

Un souper léger est la garantie d'une bonne nuit de sommeil !

MORT

MORT OU VIF ?

Numéros utiles

Fil santé jeunes
32 24
7 j/7, de 8 heures à minuit

Suicide Écoute
01 45 39 40 00
7 j/7, 24 h/24

Même pas mal !

« Waouh, super, j'en ai déjà tué 12 en trois minutes.
– T'es nul, j'en suis à 25. Et avec un M6 !
– Je crois que je vais changer d'arme, t'as raison ! »

Virtuel

Ce jeu vidéo est canon ! Juin 1944, tu débarques sur les plages d'Omaha Beach comme soldat dans la première division américaine. Entre les tirs de fusils et de canons, tu te faufiles parmi les cadavres de soldats pour tuer le maximum d'ennemis. Tu ne ressens rien ! Ce qui est bien avec les jeux vidéo, c'est que la mort est un jeu...

Game over

Tu ne réagis pas de la même manière quand survient le décès d'un proche. Quand on sort de la fiction, ce n'est plus drôle du tout. Et tu n'es pas préparé à la mort d'un être qui t'est cher. Ton grand-père est gravement malade ? Tes parents t'expliquent qu'il ne peut pas guérir. Dans la vraie vie, impossible de reprendre une nouvelle partie et de revenir en arrière.

Éternels ?

Quand tu étais petit, tu imaginais tes proches immortels, voire invulnérables. Aujourd'hui, tu prends conscience que la mort fait partie de la vie. Ta grand-mère est très âgée ? Prends le temps de lui rendre visite. À son décès, il te restera d'elle un tas de souvenirs ! Des souvenirs qui resteront gravés dans ta mémoire pour toute la vie !

L'angoisse de mourir

Quand on y pense, cela fait peur. Notre seule certitude sur l'avenir, c'est que tout le monde disparaît un jour ou l'autre. Impossible de l'ignorer, mais inutile d'y penser quotidiennement. La vie est passionnante et précieuse. Tu as plein de choses à vivre et de gens à aimer ! Ne prends pas le risque d'un accident de vélo en brûlant un feu rouge ou de kitesurf par force 8.

Le suicide

« Je pourrais m'immoler devant la classe que personne ne s'en rendrait compte... » Si un pote te dit cela, qu'il pense souvent au suicide, il faut le prendre au sérieux et vite en parler à un adulte. Il existe aussi des numéros à appeler d'urgence.

Y a-t-il une vie après la mort ?

Que se passe-t-il après la mort ? Est-ce le néant ? Pour les athées, il n'y a pas de vie après la mort. Les religions donnent des réponses différentes. Les bouddhistes croient en la réincarnation dans un autre corps. Les grandes religions monothéistes pensent qu'on rejoint Dieu pour l'éternité.

Voir aussi

Avenir
Bad
Courage
Dieu

MUER

DES HAUTS ET DES BAS

Devinette

« Qu'est-ce qui monte et qui descend ?
– Un petit pois dans un ascenseur !
– Non. C'est ta voix !
– Ah merci, trop sympa ! »

Tchao, soprano

Non, pas sympa du tout de se moquer d'un garçon dont la voix, durant quelque temps, c'est vrai, ne sait pas trop où elle va. Déjà qu'il faut accueillir ses nouveaux poils, s'adapter à ce corps gabarit XXL, pourchasser des odeurs kill baskets... Alors, si on ne peut pas crier son ras-le-bol sans émettre des vocalises style Castafiore égorgée, c'est pas drôle. Mais il ne faut pas s'inquiéter.

Cette période, qu'on appelle la mue, apparaît à la puberté (donc variable pour chaque individu, à quelques années près) mais ne dure que quelques mois (de trois à douze), le temps d'accorder un nouvel instrument.

Comme une guitare

Encore un coup des hormones ! Celles-ci, notamment la testostérone, déboulent dans ton corps et provoquent un agrandissement de la taille de tes os, mais aussi de celle de ton larynx et donc de tes cordes vocales qui, de plus, vont épaissir. Comme tu peux l'observer sur une guitare, plus les cordes sont grosses, plus elles vibrent lentement et produisent des sons graves. Te voilà maintenant capable de faire le Père Noël le 24 décembre ! Oh oh oh ! Un petit conseil : lorsque la mue survient, évite de parler trop fort, c'est dans ce cas que l'on produit des sons disgracieux.

Voir aussi
Abdos
Confiance
Corps

Les castrats

Pas de problèmes de mue, mais un sort pas non plus enviable. Du XVIe au XIXe siècle, des garçons étaient choisis tout petits pour la beauté de leur voix, puis subissaient vers l'âge de 6 ans une opération : on coupait leur cordon spermatique ou on retirait leurs testicules. Leur corps ne pouvant plus produire la testostérone responsable de la mue, ils conservaient une voix aiguë, mais grandissaient tout de même. La plupart étaient de véritables stars, le plus connu étant Farinelli. Tu peux voir le film qui lui a été consacré.

Et les filles ?

Eh bien, les filles muent aussi. Mais cela s'entend moins. L'épaisseur de leurs cordes vocales varie également à la puberté, mais elles restent assez fines. Comme elles conservent des voix plus aiguës, la transition est moins audible, et donc moins difficile à vivre pour elles. Évidemment, lorsqu'elles crient dans la cour, on n'a pas toujours l'impression qu'elles maîtrisent leur organe non plus.

PROFS

CARNET DE NOTES

C'est quoi ce carnet ? Faut qu'on parle !

Papa

Faut que l'on discute ce soir. On a lu ton carnet de notes...

Maman

BULLETIN TRIMESTRIEL

MATIÈRES	NOTES	ANNOTATIONS
MATHÉMATIQUES	06/20	Il n'y a pas que les identites qui soient remarquables. Vos notes le sont tout autant ! N'hésitez pas à les multiplier par 2 (parfois 3) !
HISTOIRE GÉOGRAPHIE	10/20	La moyenne c'est bien. Plus que la moyenne, c'est mieux !
FRANÇAIS	08/20	L'angoisse de la page blanche, c'est pour les grands écrivains ! Vous devriez quant à vous réussir à la surmonter !
SPORT	17/20	Très bon élément.
MUSIQUE	05/20	Jouer de la flûte sans flûte, c'est difficile !
PHYSIQUE CHIMIE	05/20	Éloignez-vous du radiateur ! Chez vous, cela produit une réaction chimique appelée « ronflement ». Réveillez-vous !
SVT	02/20	Sciences de la Vie et de la Terre. Vous êtes plutôt dans le sous-sol ! Rejoignez la surface de toute urgence !
TECHNOLOGIE	08/20	La techno, ce n'est pas seulement la musique qu'on écoute à fond dans son casque. Coupez le son et intéressez-vous à ce qui se passe en cours. Merci !
ARTS PLASTIQUES	03/20	DANGER
ANGLAIS LV1	09/20	Stop yawning during my class. Your jaw might fell off ![1]
ITALIEN LV2	11/20	Chi va piano va sano e va lontano... Ma non bisogna andare troppo piano ![2]
TAMPON DE L'ÉCOLE Ecole Publique des Garcons de la ville de Fleurus	MOYENNE TOTALE 7,6/20	1 Arrêtez de bâiller pendant le cours. Votre mâchoire risquerait de se décrocher ! 2 Qui va lentement va sûrement... Mais pas trop lentement quand même !

PÉDOPHILIE

BRISER LE SILENCE !

Définition

« C'est quoi un pédophile ? Un mec qui fait une fixette sur les pieds ?
- Non, sur les enfants.
- Ah merde !
- Oui, comme tu dis ! »

Qui ?

Un pédophile, c'est une personne sexuellement attirée par des enfants ou de jeunes adolescents, garçons ou filles. Les pédophiles ne sont pas tous des hommes : il y a aussi quelques femmes. En fait, un pédophile est une personne adulte qui souffre d'un grave trouble de la préférence sexuelle. Il y a des pédophiles dans tous les milieux. Beaucoup d'entre eux exercent des métiers en relation avec des enfants et certains ont eux-mêmes été victimes d'actes pédophiles pendant leur jeunesse. Souvent, les pédophiles connaissent très bien leurs

Numéros utiles

Jeunes Violences Ecoute
Tel : 0 800 20 22 23
7j/7 de 8h à 23h

Allô Enfance maltraitée
Tel : 119
24h/24

victimes : c'est comme ça qu'ils peuvent gagner leur confiance. Si la personne pédophile fait partie de la même famille que la victime, on parle d'inceste.

Voir aussi
Coup
Maltraitance
Viol

La loi

Un adulte ne peut avoir de relations sexuelles avec des mineurs de moins de 15 ans ; c'est strictement interdit par la loi. En effet, la loi estime que, avant cet âge, les enfants et les adolescents ne sont pas assez grands et matures pour avoir des relations sexuelles. La pédophilie est donc considérée comme une circonstance aggravante et peut être punie de vingt ans de prison. Malheureusement, la prison ne suffit pas toujours à éviter qu'un pédophile ne recommence lorsqu'il est libéré... C'est pour ça que la justice peut obliger un agresseur à suivre des soins psychiatriques.

Et la victime ?

Un jeune qui a été victime de pédophilie a beaucoup de mal à parler. Il se sent sale, il croit que tout est de sa faute et il a honte. C'est un peu le monde à l'envers. C'est l'agresseur qui devrait avoir honte et se sentir sale, et non le contraire ! Il est donc très important d'en parler à des adultes de confiance si tu as des doutes pour qu'ils puissent porter secours à la victime. Aujourd'hui, il existe de nombreuses associations de victimes : elles permettent de trouver des personnes à qui se confier. Mais, pour envisager sereinement l'avenir, il faut également avoir le courage de porter plainte : voir son agresseur puni permet de se reconstruire.

PÉNIS

« PETIT GUIDE DU ZIZI SEXUEL »

Au marché

« Vous le voulez comment : gros, grand, moyen ou petit ?
– Grand et gros.
– Comme tout le monde, quoi ! Mais vous savez, ce n'est pas forcément le modèle qui plaît le plus aux dames !
– Ah bon ? Ben je ne sais pas alors, je vais garder le mien pour le moment et réfléchir. »

Pack naissance

Un pénis et deux testicules, voilà ce qu'il t'est donné à la naissance et permet à la sage-femme de prononcer sans se tromper la fameuse phrase : « C'est un garçon ! ». Tout cela va grandir en ta compagnie, mais pas indéfiniment non plus, jusqu'à l'âge de 18 ans environ. Ensuite, c'est chouette, cela s'arrête : pas facile de courir avec une trompe et deux planètes coincées dans le short, n'est-ce pas ? Tu trouves que l'ensemble n'est pas à ton goût, ça trop gros, ça trop petit ? Peut-être, mais tu n'as pas le choix et il faut te persuader que la réussite de ta vie sociale (bien sûr) et amoureuse (cela peut paraître moins évident) ne dépendra nullement de la taille, de la couleur et de la forme de tes organes génitaux.

Un capital risqué

Bien ! La puberté va passer ou est passée par là. Sous l'effet des hormones, des poils recouvrent le pubis, pénis et testicules se développent, ces derniers produisant désormais des spermatozoïdes, les cellules reproductrices

BOYS

Bijoux de famille ?

C'est l'une des expressions qui sert à désigner les organes génitaux masculins. Parce qu'ils sont précieux ? Oui, si l'on souhaite avoir une descendance. Comme eux, on les planque sous un drap, enfin un slip ou un boxer. Mais la ressemblance s'arrête là : les exhiber lors des fêtes et des soirées, ça ne le fait pas.

Laurel et Hardy ?

Les testicules aussi, il y en a un « grand » et un « petit » (la différence n'est pas non plus énorme). Ce n'est pas anormal. Comme la plupart des organes doubles de notre corps, ils ne sont pas symétriques et de même taille ; un de nos pieds est également un peu plus grand ou épais que l'autre (on dit « fort ») et les filles ont un sein légèrement plus gros que l'autre.

qui te permettront (mais tu as le temps) de devenir père. Comme les ânes, ils ne marchent pas mieux si on les frappe. Disons que les coups dans les testicules, en plus d'être extrêmement douloureux, peuvent avoir de graves conséquences sur la fertilité, comme de porter des jeans trop serrés. Ces « demoiselles » ont besoin de ne pas être maltraitées. Les sportifs l'ont compris : souvent ils se protègent lorsqu'ils risquent de prendre des coups à cet endroit (coquille pour certains sports de combat, les mains pour les footballeurs lorsqu'ils font le mur devant un tireur de coup franc). Par ailleurs, le pénis est également une sorte de talon d'Achille par lequel on peut attraper les infections sexuellement transmissibles, très douloureuses, voire mortelles. À protéger donc au moyen du préservatif, juste en cas de rapport, les gars, pas toute la journée ou si vous allez faire des courses.

Amputé ?

Non, mais certains garçons, ceux de confession musulmane et juive notamment, subissent une opération appelée circoncision et qui consiste à supprimer (parfois partiellement) le prépuce, la peau qui recouvre le gland du sexe au repos. Cette intervention, qui se déroule à l'hôpital, peut également être utile si l'on ressent des douleurs lorsqu'on décalotte son sexe (pour le laver ou lorsqu'il est en érection) et permettra d'avoir ultérieurement des relations sexuelles sans souffrir.

Voir aussi

Corps
IST
Préservatif
Sexe

MONSIEUR UNIVERS ?

Monsieur Muscle

« T'as vu les biscottos de papa ? Ils sont aussi durs que des enclumes !
– Bof. Moi, je trouve qu'ils sont plutôt du genre pneus de vélo et encore plats, les pneus.
– Bah non. Et puis ses abdos, t'as vu ses abdos ? La grosse tablette de chocolat !
– Ouais ouais. Blanche et fondue, la tablette. »

Pas là

Pour une raison plus ou moins grave (décès, divorce avec éloignement géographique, travail), ton père est absent. Pas fastoche car lorsque les pères sont là, on peut les trouver encombrants, mais sans eux, comment avoir un modèle – même imparfait – de ce que l'on va devenir. Si la séparation n'est que transitoire, profite des vacances et utilise entre-temps les moyens de communication à ta disposition (téléphone, Internet). Sinon, tu peux chercher auprès de tes grands-pères, oncles, pères de tes amis ou du compagnon de ta mère – tu as aussi le droit de t'entendre avec lui – une écoute, des conseils que te donnerait ton père.

Ce que les mamans aiment chez les papas (enfin le père de leurs enfants)

Qu'ils fassent la cuisine, le ménage, le jardin, la lessive, le bricolage, les courses, comme elles. Qu'ils aiment le poisson, les légumes. Qu'ils s'occupent des enfants. Qu'ils offrent des fleurs. Des bijoux, des voyages, aussi ? Qu'ils ne râlent pas lorsqu'elles entrent dans les cabines d'essayage. Ni lorsque la dame qui s'appelle leur belle-mère téléphone à 9 heures le soir. Et que la conversation dure une heure.

La mort du héros

C'est le genre de discussion que tu pourrais avoir avec ton petit frère. En effet, jusqu'à un certain âge, les pères sont des modèles et des héros. Dans la cour de récréation, c'est un concours à qui aura le père le plus costaud, le plus intéressant, le plus riche, le + +, quoi. Et puis vient l'âge où tu commences à lui ressembler, pas forcément de caractère, mais physiquement. Il ne te paraît plus aussi grand, aussi fort ou savant. Comme tu grandis et que tes connaissances s'accroissent, tu peux avoir l'impression de t'être fait gruger et que, en réalité, cet homme que tu as adulé, il n'est pas beaucoup mieux que toi. Et c'est sans doute le cas.

Mais pourquoi ?

Car voilà, pourquoi devrait-il être un surhomme ? Parce qu'il a fait le fanfaron et le caïd lorsque tu étais petit ? À présent, tu l'as compris, il s'agissait d'un jeu et lui en vouloir n'est peut-être pas la preuve d'une grande maturité. Non, il n'est pas le plus fort ni le plus riche, mais cela n'en fait pas pour autant un ringard absolu même si sa coupe de cheveux et la musique qu'il écoute depuis vingt ans ne sont pas top, top. Il a ses goûts, tu as les tiens. Tant mieux si vous en avez en commun, normal que d'autres diffèrent. À vous de savoir en discuter sereinement, échanger. Et de ne pas devenir deux bûches.

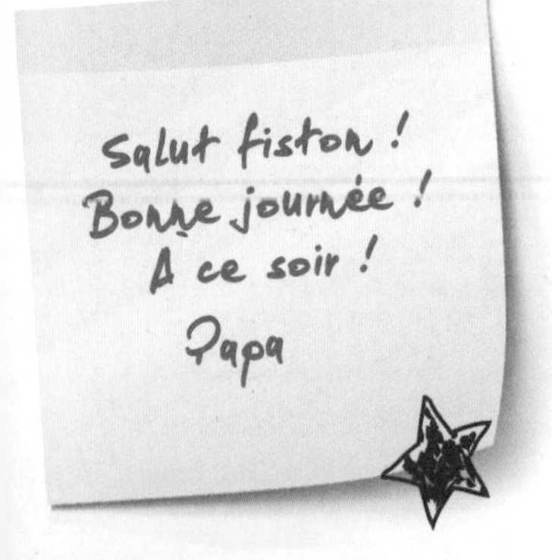

Voir aussi

Famille
Homme
Maman

DADDY

PETITS BOULOTS
HUILE DE COUDE

Drosophile

« J'ai trouvé un petit boulot !
- Ah ouais, c'est quoi ?
- Je regarde le plafond et je compte les mouches.
- Ah oui, petit le boulot ! »

Pas avant 16 ans

Légalement, tu n'as pas le droit de travailler avant 16 ans. Mais il existe un tas de petits boulots que tu peux faire pour rendre service et gagner de l'argent de poche : baby-sitting, jardinage, bricolage... La liste est encore longue. Le tout, c'est d'être compétent dans le job proposé. Inutile de postuler comme baby-sitter si tu n'as aucune patience avec les petits et si la moindre idée de changer une couche te fait défaillir...

Ouvrir son premier compte en banque

Petits boulots dit argent à placer. Dès 12 ans, tu peux ouvrir un compte en banque à ton nom avec l'autorisation de tes parents. Tu auras droit à une carte de retrait utilisable uniquement dans ta banque. À 16 ans, tu peux ouvrir un compte et posséder un chéquier et une carte de paiement.

Une première expérience du travail

Nourri, logé, blanchi... Tes parents t'offrent un service impeccable. Ainsi que des activités annexes : musique, sport, vacances... Difficile alors de ressentir le besoin de faire des petits boulots. Pourtant, travailler pour se payer soi-même un ciné, une BD, un jeu vidéo, c'est gratifiant ! Tu achètes ce dont tu as envie avec l'argent que tu as obtenu. Ce sont en quelque sorte tes premiers salaires.

Voir aussi
Argent
Courage
Famille

Comment trouver un boulot ?

Il est plus facile de passer par les proches : les parents, les grands-parents, les amis des parents... Renseigne-toi ! Il y a toujours mille et une façons d'offrir ses services. Aucun petit boulot n'est à dédaigner : du triage des chaussettes au bricolage, du ménage au jardinage en passant par la formation des grands-parents à Internet...

Petits conseils

- Choisis un domaine que tu aimes : inutile de proposer tes services comme jardinier si tu es allergique au bouleau...
- Montre ton sérieux et ta motivation : les parents qui te confient leur enfant pour un baby-sitting attendent de toi que tu sois responsable.
- Respecte les horaires.
- Fais-toi expliquer clairement ce qu'on attend de toi.
- N'hésite pas à dire que tu ne sais pas faire.
- Ose parler du salaire. C'est normal, si tu travailles, d'être payé et de savoir combien.

- Pour François, c'est mon pote !
- Tu rigoles, il veut des heures de soutien en maths obligatoires pour tous ! C'est dans son programme !
- Quoi, mais je l'ai pas lu son truc ! Je croyais que c'était un pote ! »

POLITIQUE

AUX URNES CITOYENS !

> « " Je ne m'occupe pas de politique ", c'est comme si vous disiez " Je ne m'occupe pas de la vie. " »
>
> Jules Renard

Qui choisir ?

Aujourd'hui, tu votes : c'est l'élection des délégués de classe. Mettre un bulletin dans une urne, c'est un truc tout simple. Pourtant, l'air de rien, ce petit geste a une grande importance : c'est ton premier geste politique ! Tu dois choisir entre plusieurs candidats ; celui qui propose que les récréations soient plus longues et celle qui voudrait qu'il y ait moins de devoirs. En votant, réfléchis bien à ton choix ! C'est important parce que l'un des candidats va te représenter auprès des profs et de l'administration de l'établissement. Si tu as des soucis, c'est aussi lui qui pourra t'aider et te défendre.

Bientôt 18 ans !

Lorsque tu seras majeur, tu devras faire exactement la même chose : voter pour les hommes et femmes politiques qui te représenteront. C'est la base de toute démocratie : les citoyens votent pour élire leurs représentants. Ils appartiennent à différents partis et chacun a un programme politique, c'est-à-dire un ensemble d'idées et d'actions concrètes à mettre en œuvre pour améliorer la vie des gens. En fait, tout est défini par la politique. Les impôts que tes parents paient, les lois, l'aide apportée aux plus démunis, les programmes scolaires, même le prix du repas à la cantine ! Les hommes et les femmes politiques essaient de trouver les meilleures solutions pour tous... même si ce n'est pas facile !

> « L'homme est un animal politique. »
>
> Aristote

À toi de jouer !

Du coup, pour voter sans te tromper, tiens-toi au courant de ce qui se passe autour de toi, de l'actualité, de ce que les candidats proposent, de leurs positions sur les sujets importants. Après tout, tu es un être humain, pas un mouton ! Si tu ne connais rien à rien à la politique, c'est un peu comme si on te demandait de choisir un jean les yeux fermés... Pas sûr que tu choisisses le bon...

PORNO
MÊME PAS LA BISE ?

Drôle d'histoire

« Au début, une dame est entrée dans la maison et, au bout de trente secondes, on ne sait pas, faisait-il chaud, elle s'est complètement déshabillée. Puis son mari est arrivé. Et ni une ni deux, à peine un bonjour, ils se sont mis à faire l'amour. Enfin, pas sûr qu'ils s'aimaient, vu les phrases qu'ils se disaient ! Puis un autre monsieur est arrivé avec une nouvelle dame. Et rebelote ! Puis ça a continué et j'ai zappé vu que je ne comprenais rien à l'histoire... »

Et l'érotisme ?

Dans le genre pareil, mais différent. Les films érotiques sont plus *light*. La suggestion est à l'honneur. Au final, cela revient à peu près au même.

Il n'y a pas d'histoire !

Ce qui est décrit ici est bien ce que l'on nomme un film porno, abréviation de « pornographie », mot désignant les livres, les images et le cinéma où sont présentés les actes sexuels. Alors voilà : on peut changer les acteurs ou les lieux de leurs ébats, ce sera toujours un peu pareil et ça ne fait pas une super histoire. Mais il est vrai que ce genre de film se moque complètement du scénario et que son objectif premier serait de provoquer une stimulation sexuelle. À voir...

Pédagogique ?

Peut-être crois-tu qu'un film porno va pouvoir t'apprendre à faire l'amour ? Tu vas être déçu. Pire, ce que tu y découvrirais risque plutôt de t'handicaper dans tes relations amoureuses. Inutile de reproduire les actes, les attitudes d'un acteur porno ou des situations rocambolesques et impossibles. Tu peux être assuré que ta moitié n'aura envie ni que tu la traites ni que tu lui parles avec la vulgarité et la brutalité qui caractérisent la pornographie. Et qu'elle quittera le plateau avant même que votre film ait commencé !

Business

Le porno, c'est surtout une énorme industrie qui rapporte beaucoup d'argent. Il existe plus de 100 000 sites pornographiques et il s'en crée tous les jours. Les femmes et les hommes qui sont filmés dans ces vidéos sont traités comme des morceaux de viande, nouveaux esclaves modernes. Ça donne moins envie, tout de suite...

Une vieille « histoire »

« À notre époque, c'était pas comme ça », te diront souvent des personnes âgées en pestant contre l'indécence et la trop grande diffusion des images pornographiques aujourd'hui. Alors c'est vrai, autrefois, il y en avait moins. Et il n'y avait pas de films porno puisqu'il n'y avait pas de films du tout. En revanche, il existe des images pornographiques depuis très longtemps. On en a retrouvé sur des fresques de Pompéi datant du Ier siècle av. J.-C. Et il existe aussi de nombreux écrits pornographiques qui, disait-on, circulaient sous le manteau, parce qu'ils étaient interdits. Pas si sages que ça, nos ancêtres.

PORTABLE SANS FIL

« Sûr, elle ne viendra pas. Si elle ne t'a pas déjà répondu, c'est mort !

– Mais non. Elle habite loin, il faut du temps pour qu'elle ait le message.

– Une minute maxi. C'est quoi, ton mobile ?

– Un ramier.

– Un quoi ?

– Un ramier. Un pigeon ramier, quoi. »

Moi aussi

Ah, oui, autrefois... Et afin de communiquer à distance, les Indiens ont également utilisé le nuage de fumée, puis il y a eu la poste à cheval, le télégraphe. Bon, OK, mais aujourd'hui, nous sommes plutôt « téléphone » et souvent « mobile ». La preuve par les chiffres : 5 milliards de portables sur Terre, plus de 90 % des Français en posséderaient un (il faut compter ceux qui en ont deux). Alors, pourquoi pas toi ? Surtout le dernier modèle, bourré de nouvelles fonctions ? C'est pratique, ça fait gagner du temps et permet d'être en contact avec les potes tout le temps.

Oui et non

Si tu veux un téléphone, les adultes sont mal placés pour te dire que ce n'est pas bien, vu qu'ils en ont presque tous un et que beaucoup en changent très souvent. Cependant, s'il est bien de pouvoir contacter parents et amis à tout moment, il faut savoir qu'un mobile revient cher, surtout si on dépense en moins de deux ses unités ou qu'on pulvérise son abonnement. Et le dernier modèle, qui ne le sera plus dans un mois, est souvent aussi le plus onéreux.

Dangereux ?

Malgré des études, personne ne sait trop bien ce que l'usage du mobile peut avoir comme conséquences à long terme pour la santé, même si des indices convergent pour affirmer que l'exposition aux ondes des portables est néfaste, particulièrement pour les enfants. Conseils : utiliser des oreillettes lors d'une conversation, éloigner ou éteindre les appareils, surtout la nuit.

Ce qui plaît aux filles

Quand tu es avec elle, tu es avec elle, vraiment ! Tu ne décroches pas ton portable, tu n'appelles pas tes potes, tu n'envoies pas de textos. C'est de la goujaterie. Maintenant si elle le fait, elle, il y a sans doute un problème...

MOBILE

Approximatif

Pas toujours évident non plus, le gain de temps, lorsqu'on s'envoie dix textos pour se donner un rencard auquel – zut, vite, un onzième, on avait oublié ce rendez-vous chez le dentiste (merci quand même la fonction « Agenda »), auquel donc on n'ira pas. Pas si sûr non plus que le téléphone favorise les relations lorsqu'on regarde les groupes d'amis ou les couples qui échangent des messages avec des personnes absentes sans profiter de la compagnie des personnes présentes.

Voir aussi

Argent
Famille
Gentleman
Potes

J vi1 2m1

Et on t'attendra, si on a compris. Le langage SMS est pratique parce que, comme il est pénible d'écrire sur un portable, plus vite c'est tapé, mieux c'est. Attention cependant à ne pas utiliser cette « orthographe » en dehors des textos et des tchats. À éviter avec « pp » ou mémé s'ils ne sont pas chébrans.

ALLOoooO...

...LES COPAINS

Étymologie

« Pote » vient du mot « poteau ». Tes potes, ce sont des repères, enfoncés dans le sol, qu'aucune tempête ne fera vaciller. Rassurant, non !

POTES

UN POUR TOUS, TOUS POUR UN

Abus ?

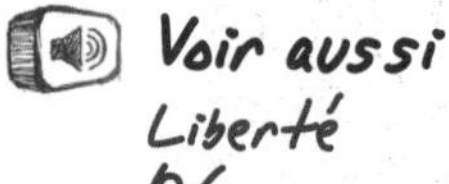

Voir aussi
Liberté
QG
Tribu

« Ouah ! Il est trop bien, ton chien. Puis ta mère : chouette. Ton frère et ta sœur, d'enfer. J'aime bien tes pompes aussi. Allez, on est potes, tu me les files...

– Quoi ? T'es dingue ? Tu veux mon chien, ma mère, mon fr...

– Non, juste tes pompes ! T'es tout de même mon ami, hein ? »

Toujours là

Tes potes, impossible de t'en passer. Tu les vois avant les cours, pendant les cours, à la sortie des cours et même sur Internet. Faut dire que sans eux, tu te sens comme une guitare sans ses cordes... un peu inutile, quoi, abandonné. Avoir une bande de potes sur qui compter, c'est une question de survie. Pas de tabous, avec eux ! Un problème au collège ? Tu leur dis que c'est de la faute du prof, jamais de la tienne et... ils prennent ta défense. Une fille qui ne veut pas de toi ? Pas de soucis, ils te diront qu'elle a tout faux, qu'elle passe à côté d'un mec super bien. Bref, tes potes sont toujours de ton côté !

Un pote pour tout

Tes potes, ils sont tous différents. Il y a le pote-intello, celui qui fait tes exposés de latin ; il y a le pote-ambiance, celui qui fait décoller toutes les soirées, le pote-à-la-mobylette, toujours prêt à t'emmener n'importe où, le pote-ami-des-filles, toujours pratique, le pote-de-vacances, que tu retrouves l'été. Chacun son style, chacun ses compétences, et c'est ça qui fait que vous êtes une bonne bande de bons potes !

Dire non

Avec ta bande, tu fais les 400 coups ! Ils décident tous de taguer les WC du collège ? Pas de problème, tu fais comme eux, après tout, c'est ta bande... et si tu ne faisais pas comme eux, ce serait carrément la honte. Et le jour où ils décideront de se pointer tout nus en cours, tu feras quoi ? Même si tes potes le font, pas sûr que ce soit l'idée du siècle... Puis quand on a de vrais potes, on n'a pas peur de leur dire non. C'est même un signe fort d'indépendance d'esprit qui veut dire : « Bon, les mecs, je vous aime bien, mais ce coup-ci, vous faites carrément n'importe quoi. Alors comptez pas sur moi, hein ! »

Ta bande, ta deuxième famille

Au sein de ta bande, la confiance règne, tu te sens bien. Chaque bande a son identité propre et partage les mêmes valeurs ; dans ta bande, vous parlez tous des mêmes sujets, vous écoutez la même musique et avez le même look, à peu de chose près. Mais ça ne veut pas dire que vous marchez au pas de l'oie, heureusement ! D'ailleurs, lorsqu'il y a un gros souci dans ta bande, rien de tel qu'un bon coup de gueule pour mettre les choses au clair... Les vrais potes acceptent la critique.

À manier avec précaution

Même si tes potes sont « à la vie à la mort », on ne peut pas tout faire avec eux. Si tu leur voles leur copine (ou leurs 4 heures, mais c'est plus grave pour la copine), ça risque de pas être top... Donc pour les garder, prends en soin et ne leur fais pas de crasses !

Travaux pratiques

« Bon, alors tu ouvres la bouche. Mais pas trop grand non plus, on veut pas savoir si tu as une angine. OK ?
Tu poses tes lèvres sur les siennes et vous entrelacez vos langues en les faisant tourner dans le sens inverse des aiguilles d'une montre. French kiss, ça s'appelle.
– Tu crois que les Anglais ils tournent dans l'autre sens ? »

PREMIER BAISER

FRENCH KISS

Comment savoir ?

Maintenant que tu connais l'aspect « technique » de ce premier baiser rêvé, à qui pourrais-tu donc le donner ? Choisis celle qui semble le mieux disposée, te sourit ou rigole lorsque tu fais une blague, ne s'enfuit pas lorsque vos coudes se frôlent, qui est peut-être, comme toi, un peu (beaucoup) amoureuse. Et fonce, bouche ouverte, quitte à gober des mouches. Non ? Non. Doucement ! La séduction, ça existe. Cela peut prendre la forme d'une lettre ou d'un SMS romantique, de discussions. Puis de mots tendres (pas niais) et sincères (pas les répliques d'un film que tout le monde connaît). Un baiser, le premier et les suivants, ce n'est pas du bouche-à-bouche, mais un geste qui traduit un sentiment amoureux.

Pelle et tarte

« Salut et merci encore pour la galoche ! » Et pof, une taloche pour le goujat ! Si un baiser n'est donné que pour se prouver qu'on peut le faire, pour inaugurer un tableau de chasse, il y a fort à parier que l'on va décevoir, voire blesser. Car la personne qui va le recevoir, comme toi peut-on l'espérer, éprouve des sentiments qui ne vont pas disparaître après cinq tours de langue. « Quoi alors ? Je lui saute dessus, je la déshabille puis on se marie ? » Non plus, malotru. Ce n'est pas parce qu'on accepte un baiser que l'on souhaite avoir des relations sexuelles. Pour cela, il faut du temps, attendre l'envie et le consentement de chacun. Et attention à toi aussi ! Si tu es amoureux, sincère, tout le monde ne l'est pas. N'imagine pas qu'après un baiser tu vas te marier, qu'on t'aime pour la vie. Ce qui n'empêche pas de l'espérer.

Trop chouette. Une superbe créature (mais ça peut être un grand barbu aussi) brandit une pancarte dans la rue sur laquelle est inscrit « Free Hugs », ce qui signifie « câlins gratuits », l'occasion rêvée pour recevoir ton premier baiser. Raté, car les adeptes de ce mouvement veulent t'offrir une accolade, voire un baiser sur la joue, mais pas te rouler une pelle.

Très amoureux

Pour une première fois, pas la peine d'essayer de battre le record du monde du baiser le plus long détenu par sept couples en Thaïlande lors d'un concours organisé pour la Saint-Valentin 2011 : plus de trente-deux heures de bouche-à-bouche. De quoi perdre son souffle.

Devinette

« Qu'est-ce qui est rose, jaune ou bleu, qui protège de certaines maladies et évite que ta copine ne soit enceinte ?
– Je sais : un maillot de foot. Il protège du froid, donc du rhume. Et quand je le porte, je joue à fond au foot, et ma copine, je l'oublie. Enfin presque… »

PRÉSERVATIF

CAP OU PAS CAP ? BEN CAP, PARDI !

Petit rappel

Le préservatif se met dès le début du rapport sexuel.

French or English

La réponse exacte c'est le préservatif qu'on appelle aussi la capote (française pour les Anglais, anglaise pour les Français), ou condom. Il existerait depuis l'Antiquité égyptienne. Fabriqué autrefois dans diverses matières (boyau de mouton, papier de soie, velours, etc.), il est aujourd'hui en latex, de toutes les couleurs et même parfois « parfumé » (fraise ou banane? Nature, c'est aussi possible). Il est le meilleur moyen pour éviter une grossesse non désirée ou une infection sexuellement transmissible. Tu peux en trouver partout (grande sur-

face, pharmacie, etc.), il est peu cher (voire gratuit lors de campagnes de prévention, dans certains bars, à l'occasion de concerts, etc.), et se transporte discrètement.

Comment ksa marche ?

Pour le savoir, il vaut mieux essayer, une fois au moins, tout seul. En effet, lors d'un rapport sexuel, si personne ne sait s'en servir, ça peut casser l'ambiance et ôter tout romantisme. Il faut d'abord apprendre à le mettre convenablement en suivant la notice si nécessaire. Important : ne pas l'ouvrir avec des ciseaux, tu risquerais de le percer. Il faut aussi laisser un peu de matière à l'extrémité, sans bulle d'air, pour éviter qu'il n'éclate lors de l'éjaculation et ne perde ainsi son rôle contraceptif et prophylactique (anti-maladie).

Lequel choisir ?

Concernant la marque, la couleur, la taille, le plus important est de n'utiliser que des capotes siglées « NF » (pour Norme française) et n'ayant pas dépassé la date d'utilisation. Pour le reste, les goûts et les couleurs... Savoir que ceux qui sont « parfumés » utilisent des parfums de synthèse un peu chimiques, il faut aimer...

King size

Important : les préservatifs sont comme les pénis en érection, ils n'ont pas tous la même taille. Il faut choisir celui qui te convient. Si sa pose est longue et douloureuse et que tu es trop serré, prends un modèle plus grand qui évitera, en plus, l'éclatement. Mais pas la peine de choisir, si ce n'est pas nécessaire, le modèle XXXL pour frimer et te retrouver comme avec une chaussette sans élastique, c'est-à-dire très ridicule...

Une fois et basta !

Un préservatif a un usage unique. Même s'il n'y a pas eu éjaculation, il ne faut jamais s'en resservir. il convient de le jeter discrètement, ni dans la rue, ni au vu de tous en haut du tas d'ordures de la poubelle familiale. Quant à jouer avec comme si c'était des ballons ou des bombes à eau, cela appartient plus à l'âge lol-mdr du caca-prout qu'à celui où l'on envisage des relations amoureuses mûres. À toi de voir !

Voir aussi

Amoureux
Copine
IST
Filles
Puceau
Sexe

FIRST TIME

PUCEAU

PREMIÈRE FOIS

Sac à puces

« Toi, t'es encore puceau ? Parce que moi, je le suis toujours.
– Quoi ? Mais c'est dégueulasse ! T'as jamais essayé un traitement ?
– Bah, j'ai embrassé des filles mais il n'y a pas eu de suite.
– Non, un truc plus radical. Tu sais, les puces, c'est comme les poux, faut traiter. Essaie un collier. Ou une lotion. Ou un spray. »

Changement de cap

S'il y a quelques mois ou quelques années, la simple idée d'embrasser une fille sur la bouche te répugnait, te voilà (peut-être) maintenant complètement obnubilé par le désir d'avoir des relations sexuelles, de ne plus être un puceau, c'est-à-dire un jeune homme vierge (et pas un sac à puces !). Pourquoi ? Toujours ces diablesses d'hormones qui ont encouragé ta libido. Mais aussi ton entourage qui te met un peu la pression et une sorte de préjugé que l'on retrouve partout dans le monde qui veut que les caïds, les hommes, les vrais, sont ceux qui ont couché avec une femme. Et toi, tu n'aimerais pas passer pour un gamin.

À conseiller pour une première fois...

... et les suivantes :
– Se doucher avant parce qu'un amant qui fouette, ce n'est pas emballant. On a le droit de se laver aussi les dents car il arrive que l'on s'embrasse dans cette situation.
– Prévoir, sans compter sur l'autre, un préservatif.
– Ne pas se précipiter sur sa douce, surtout si pour elle aussi c'est la première fois. Prendre le temps, vous ne courez pas un 100 mètres.
– Et si au dernier moment, ta douce ne veut plus, ou toi non plus, on n'insiste pas, on s'arrête là !

À éviter pour une première fois

...et les suivantes :
– La proximité de copains derrière la porte pour savoir comment c'était, ou te chambrer, ou t'encourager.
– L'absorption de substances comme la drogue ou l'alcool en tant qu'anti-trac mais qui risquent de te rendre malade, de t'endormir ; bonjour, le prince charmant !
– Mentir au partenaire en lui faisant croire qu'on est expérimenté et, au moment crucial, paniquer ou trahir par des gestes que l'on est novice.
– Les plans catastrophe : faire cela chez ses parents, par exemple, et se faire surprendre. Même s'ils sont très open, ils ne vont pas apprécier et tout le monde sera super gêné.
- L'absence de sentiments amoureux : on n'est pas des bêtes !

Différent ?

Quitte à décevoir certains, avoir eu une ou plusieurs relations sexuelles ne fait de personne un être différent, plus fort, mature, indépendant ou intelligent. Cela ne demande pas de compétences extraordinaires, juste de l'amour, du tact et du respect. Faire l'amour avec la personne qu'on aime est un acte important, engageant, impliquant ! On ne fait pas ça par curiosité ou pour se muscler. Ce n'est pas du sport mais une expérience humaine fondamentale.

C'est pour quand ?

Quant à savoir à quel âge ça se passe, il n'y a évidemment pas de norme (la moyenne étant de 17,2 ans). Toujours vaut-il mieux ne pas se précipiter afin que les choses se déroulent bien : une première fois ratée, cela peut constituer un handicap pour ta vie amoureuse ultérieure.

VOTRE CAFÉ

QG

VOTRE ABRIBUS

LÀ OÙ VOUS VOUS RETROUVEZ ENTRE POTES

RACISME

TOUS ÉGAUX, TOUS DIFFÉRENTS

Au goûter

« Noir ou blanc ?
- Ben blanc !
- T'aimes le chocolat blanc ? C'est hyper sucré !
- Ben non, je croyais que tu me demandais si j'étais noir ou blanc ?
- Ça je le vois bien, je suis pas idiot ! »

Vive les différences !

Autour de toi, il y a des gens de toutes les couleurs. Des élèves de toutes les origines se côtoient. Il y a ceux dont la famille est installée en France depuis longtemps et ceux qui viennent d'arriver. Tous ces élèves ont leur propre culture : certains ne mangent pas comme toi, ils peuvent avoir une religion différente et parler une autre langue.

FREE

Tous égaux

Pourtant, tous sont égaux : ça ne veut pas dire qu'ils sont pareils (heureusement, tout le monde est différent !) mais qu'ils ont les même droits et les mêmes devoirs. Comme toi, ils ont le droit d'aller au collège et d'être soignés, comme toi, ils doivent respecter la loi. En fait, toutes ces personnes différentes, toutes ces cultures qui vivent ensemble sont une véritable chance ! C'est tout de même mieux que si tout le monde mangeait la même chose, pensait de la même façon et... avait la même couleur de peau !

Ignorance et peur de l'autre

Le problème, c'est qu'il y a des gens qui ne pensent pas comme ça. Ils pensent qu'il y a des races d'humains différentes et que certaines races sont supérieures à d'autres, ce qui est absolument faux... Comme si les gens étaient des chiens et qu'un cocker était supérieur à un labrador... Ces gens-là sont racistes. Pourtant, certains n'ont jamais vu un étranger de leur vie : ils ont plein de clichés dans la tête ! En réalité, ils en ont peur de l'autre parce qu'ils ne le connaissent pas.

Haine et massacre

Sans compter que le racisme fait de sacrés dégâts partout dans le monde : il conduit à la haine, provoque des guerres et des conflits. Dans certains pays, des ethnies entières se font massacrer parce qu'elles sont différentes. Comme si tu décidais que seuls les gens plus grands que toi avaient le droit de vivre... ce serait aussi stupide.

À toi de jouer !

Si tu as des potes qui font des blagues racistes, n'hésite pas à leur expliquer à quel point ils se trompent. Comme tu es quelqu'un d'éduqué et de cultivé, tu sais bien que tout cela est faux. C'est pas grand chose mais c'est déjà une bonne façon de lutter contre l'intolérance ; ouverture d'esprit et respect des différences sont les meilleures armes pour lutter contre le racisme !

Voir aussi
Respect

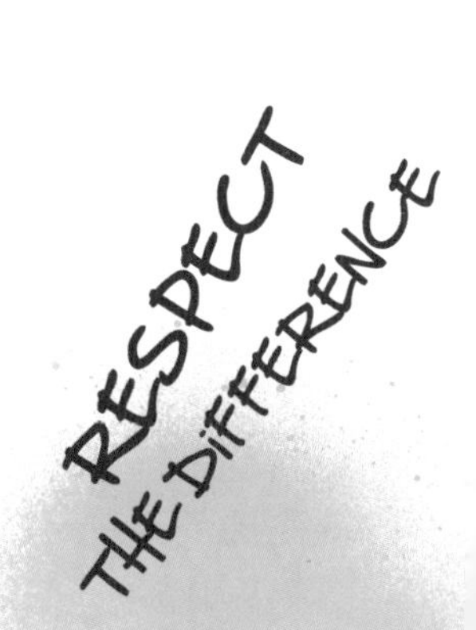

RACKET

« LA BOURSE OU LA VIE ! »

Histoire de goûter

« File-moi ton quatre-heures !
- Tu plaisantes ! C'est de la brioche au Nutello !
- Quoi, maman n'a pas acheté de Chocosnacks !
Ah, la lose ! Bon, file-moi ton lait-fraise, frangin ! »

À ne pas faire

Si ça craint sur la route du lycée, déplace-toi avec tes potes : en groupe, vous êtes plus forts ! C'est un peu l'histoire du banc de poissons qui fait peur au requin. Et pas la peine de montrer à tout le monde que ton lecteur MP3 coûte un max de blé, que même à la Nasa ils n'ont pas assez d'argent pour se l'acheter ! S'il est si précieux, laisse-le chez toi !

Chantage et intimidation

« Donne-moi tes baskets ou je te frappe ! Et t'as pas intérêt à l'ouvrir ! » Ça, c'est du racket. Ça arrive tous les jours, à beaucoup de gens : il est même possible que ça se passe après les cours, sans même que tu le saches ! En fait, le racket, c'est du vol avec menace. Un voleur vole en cachette ; tu regardes ailleurs et, hop ! ton portable a disparu. Et tu ignores qui l'a volé. Le racketteur, lui, vient te voir et exige que tu lui donnes ton portable : tu sais très bien qui il est. Il te menace pour que tu le lui donnes. Et, souvent, le racketteur recommence ! Tu lui donnes 2 euros, le lendemain il en veut 10 et dans six mois, qu'est-ce que ce sera ? Une vraie spirale infernale !

 Complètement illégal

Tu t'en doutes, le racket est interdit et puni par la loi. Les sanctions varient en fonction de sa gravité et de sa fréquence. Une bande qui rackette beaucoup aura une plus grosse peine que quelqu'un qui ne l'a fait qu'une fois. D'ailleurs, le principal du collège est obligé de dénoncer à la police tous les actes de racket qui concernent son établissement. Ça permet de protéger tous les élèves !

Voir aussi
Argent
Coup
Vol

Le cercle de la peur

Le vrai problème du racket, c'est que les victimes sont terrorisées et qu'elles n'osent pas parler. Le racketteur sait très bien comment faire peur à sa victime : il est plus fort, plus impressionnant et violent. Super facile d'effrayer un plus faible, non ? Ça permet d'exercer une vraie pression et de démolir quelqu'un. Et tant que la victime a peur et se tait, le racketteur peut continuer à lui voler tout ce qu'il veut !

La meilleure arme : la parole

Donc, pour sortir du racket, une seule solution : parler ! Et le plus vite possible ! Parce que même si, face à toi, le racketteur est plus fort, devant des adultes, il n'a aucune chance. C'est toi la victime, c'est donc toi qui seras protégé. Pas lui. Mais surtout, pas la peine de jouer au héros et de te défendre tout seul !

RADIA

ELLE RÊVE…

IL FAIT LA SIESTE.

IL DESSINE.

IL FUME SON CRAYON À PAPIER

Voir aussi
Avenir
Études

TEUR

INSTANTANÉ D'UNE CLASSE

IL ESSAIE SON NOUVEL AVION SUPERSONIQUE.

IL SE GRATTE LE NEZ.

IL ESSAIE D'ATTRAPER L'AVION SUPERSONIQUE.

OH ! ELLE TRAVAILLE !

RASOIR

LA LAME QUI FAIT MÂLE

Désœuvrés

« On se rase, là !
– Quoi, maintenant ? Mais je n'ai pas mon matériel !
Ni mousse, ni rasoir ! Et y a pas d'eau. On va faire comment ?
– Non, on s'ennuie comme des rats morts !
On se casse ! »

Faut ksa mousse !

Bien sûr, avec le rasoir, il faut que tu utilises de la mousse à raser. C'est indispensable pour ne pas abîmer ta peau. Elle t'évitera de te couper et d'avoir une allure de boxeur tout juste sorti d'un combat, avec des pansements partout. Cependant, pas la peine d'en mettre trois kilos, d'autant plus que la mousse tache. Voilà, plus qu'à te raser dans le sens du poil et à rincer à l'eau chaude !

Silence, ça pousse !

Avec l'âge, les poils poussent un peu partout, y compris sur le visage : c'est tout nouveau et ça te change complètement. Ça te rend même plutôt fier, de pouvoir jouer à l'homme et de te raser. Bon, OK, on ne peut pas encore vraiment dire que tu aies une barbe de légionnaire... juste trois petits poils qui se courent après sur le menton mais, avec le temps, ça peut devenir touffu... ou pas.

No poils

Certains hommes restent imberbes toute leur vie. Pour avoir l'air d'un baroudeur, c'est pas terrible mais ça évite de se raser. Un garçon sans barbe économise cinq minutes tous les matins, et sur toute une vie, ça fait pas mal de temps de gagné pour faire autre chose, non ? Si tu n'as pas de barbe, il n'y a rien à faire. Pas la peine de te badigeonner le visage de crèmes miracle à base d'hormones de taureau pour la faire pousser, ça ne marchera pas. Ni de te raser toutes les cinq minutes pour faire sortir le poil du bois.

Barbe-Bleue

En revanche, certains hommes ont de la barbe à n'en plus finir ! Si c'est ton cas, tu t'en rendras vite compte et il faudra penser à te raser. Tu pourras aussi garder ta barbe, plus ou moins longue, te faire un bouc, etc., ça dépend de tes goûts et de la mode du moment. Alors, Barbe-Bleue ou Jack Sparrow ?

Barbant, le rasage ?

Quand tu commenceras à te raser, ne prends pas le rasoir de ton père. Pire encore : celui de ta mère ou de ta sœur. Question hygiène, c'est vraiment pas terrible... Il faut que tu demandes à tes parents de t'acheter un rasoir rien qu'à toi, comme ta brosse à dents. Sans aucun doute, entre le coupe-chou utilisé il y a deux cents ans, le rasoir électrique et les rasoirs de combat chromés à plein de lames, tu devrais trouver celui qui te conviendra.

Voir aussi
Corps
Douche
Look
Homme
Père

Ourtch!!

Lose, la poule !

« Le grand jeu ; je lui ai même récité un poème. Et puis, j'ai rien compris, elle est partie en courant.
- Lequel, de poème ?
- Ben le seul que je connais, la poule sur un mur qui picore du pain...
- Picote. Pas picore.
- Trop nul ! Picote ! Je m'en souviendrai, pour la prochaine fois !
- Ouais. Ou change de poème... »

RÂTEAU

ET UN SCUD, UN !

Boulet rouge

Tu es amoureux, tu as fait tout ce qu'il te semblait possible pour la séduire, vous vous entendez bien. Alors tu oses et lui avoues tes sentiments. Et vlan : elle te sort qu'elle préférerait que vous restiez amis, qu'elle t'aime bien mais... Mais ce « bien », pour toi, il est de trop. Elle ne veut pas, voilà tout. Si tu l'as rencontrée quelques heures avant de vouloir l'embrasser et qu'elle refuse également, c'est pareil, ça s'appelle aussi un râteau et c'est tout aussi désagréable. Parce que cela blesse l'amour-propre.

Kit de prévention anti-râteau

- Brosse à dents
- Coupe-ongles
- Poème (pas « Une poule sur un mur », surtout pas « La poule »)
- Une armure (en cas du refus violent dit « râteau mortel »)

Cette fille ne te méritait pas. Courage mon loulou ! À ce soir !

Maman

P.S : Je t'ai préparé tes lasagnes préférées.

Mais pourquoi ?

Tu peux alors te demander si tu n'es pas trop moche, bête, grand, petit ? Non ! Mais les filles sont comme toi, pas forcément amoureuses de tout le monde. Elles ont le droit de ne pas vouloir sortir avec quelqu'un, même s'il est beau et sympa. Si elle te dit que c'est parce que tu n'as pas le modèle de pompes à la mode, parce que ton scoot ressemble à un vélo, que tes parents ne sont pas fortunés, réjouis-toi (même si elle était belle, hein) ! Pas très glorieux d'être « aimé » pour la marque de ses fringues ou le compte en banque de ses parents.

Trousse de premiers secours

- Un masque (ou une tente, ou une grotte au fond de la forêt, ou une cabane dans un arbre, ou une yourte dans une steppe) pour cacher sa honte.
- Un copain
- Un chien (il t'aime toujours, lui, le chien, ça fait du bien)
- Un punching-ball, etc.

La fin du monde

Pas de ta faute donc. Mais parfois si... Parce qu'il existe tout de même des attitudes ou des trucs pour minimiser les risques. Les dents et les aisselles tue-mouches, les mains sales et les fringues décorées ket-chup-cambouis : pas séduisant. La main aux fesses di-rect ou les attitudes de macho risquent de ne pas plaire. L'arrogance, l'agressivité, le manque d'humour, et tout ce qui peut te rebuter également chez les autres : aux oubliettes. Et si tu essuies tout de même un échec, que cela t'affecte vraiment, parles-en à tes amis, voire à tes parents. À ton père par exemple : lui aussi s'est peut-être pris des vestes (avant de connaître ta mère, bien sûr) et, s'il n'est pas du genre à toujours jouer les héros, il t'en parlera et tu te sentiras alors bien moins seul.

Voir aussi
Allumeuse
Amoureux
Confiance
Copine
Drague

REDOUB

DOUBLE PEINE ?

La honte

« Non, je te jure, je déprime grave. Je vais me jeter devant une poussette ou bouffer une courgette crue. Je suis naze, nul, j'me dégoûte.
– Parce que tu redoubles ?
– Niet. C'est juste que j'ai oublié des fringues de rechange pour l'après-match. Tu vois ?
– Oui. Enfin, plutôt, je vais le sentir ! »

Tous des flèches ?

En Norvège ou au Japon, le redoublement n'existe pas.
En Grande-Bretagne, il est très rare, même lorsque les élèves ont des résultats médiocres.
Si on déménageait à Londres ou à Oslo ?

Responsable, pas coupable

Résultats scolaires mauvais ou médiocres : chaque année, en France, 5 % des élèves doivent redoubler. La faute aux profs, trop nuls ? Ou aux élèves, pas assez travailleurs ? Ni l'un ni l'autre. Quand on redouble, c'est parce qu'on n'a pas tout ou assez compris ; on n'est pas pour autant « fautif » ni nul. Chacun assimile les connaissances et les méthodes à son rythme. On peut comprendre la mécanique, être doué en cuisine. Ça ne

LEMENT

sert pas forcément pour passer en classe supérieure au collège ou au lycée – il faut redoubler, mais ce sont des savoirs et des techniques maîtrisés dont on peut être fier et ils sont souvent très utiles pour l'avenir.

Adieu, les potes ?

Pourquoi redoubler alors, si c'est juste pour perdre ses copains, se faire charrier et réapprendre des choses dont on ne voit pas l'utilité ? Tout d'abord, si tu as des amis, des vrais, ils ne vont pas se détourner de toi parce que tu repiques. Tu vas les revoir en récré ou hors de l'école. Et vanner un redoublant, ça arrive, mais ça s'arrête très vite, d'autant plus que ses résultats vont être bons.

Je m'aime !

Car c'est l'objectif du redoublement : il n'est pas une sanction mais vise à permettre de mieux comprendre ce qui ne l'a pas été, d'avoir de meilleures notes conséquemment, et donc de retrouver confiance et estime de soi. Chouette programme, non ? Et si tu avais un problème relationnel avec un ou plusieurs profs, dis-toi qu'il y a des chances pour que tu te retrouves face à de nouvelles têtes !

Voir aussi

Confiance
Études
Potes
Radiateur

T'es pas le seul

Ça ne va peut-être pas consoler les redoublants mais, en 2006, une étude montrait que, à l'âge de 15 ans, 38 % des Français déclaraient avoir redoublé au moins une fois. Cocorico? Oui, la France détient le record. Bon, il y en a de plus flatteurs.

72 ans

C'est l'âge record auquel un candidat a réussi son baccalauréat. Précisons qu'il n'a pas redoublé 54 fois : il a passé son diplôme en candidat libre, c'est-à-dire sans aller à l'école, le veinard.

RESPECT

SYNONYMES : DÉFÉRENCE, ÉGARD, ESTIME, TOLÉRANCE

Au menu

« Respect à toi, le poulet cuit. Respect à toi, l'œuf mayonnaise. Respect à toi, la chips au sel. Respect à toi, le radis cru...
– Tu vas bien ? Tu vas passer en revue toute la glacière ?
– On t'a jamais dit de respecter la nourriture ? »

Juger l'acte, non la personne

Si par principe tout individu est respectable, ses actes et ses comportements ne le sont pas forcément. Parfois, ils sont même condamnables. Ne juge pas la personne, mais uniquement ses actes. Car l'homme peut toujours progresser. Ton petit frère a fait une bêtise. Ne lui dis pas : « Tout ce que tu fais est mal. » Il risquerait de le croire ! Tente plutôt de lui expliquer pourquoi il ne fallait pas faire cette bêtise-là !

Objets de respect

Le respect de la vie privée, le respect de la dignité humaine, le respect de l'environnement, le respect de la propriété privée... Que de choses et de personnes à respecter ! C'est pourtant essentiel. Si tu ne respectes pas ton prof, inutile d'exiger de lui qu'il soit à ton écoute et te fasse progresser. Si tu ne respectes pas la nature et l'environnement, difficile après de s'indigner de l'état de la planète...

Respect les gars

Ce n'est pas seulement une question d'être bien ou mal élevé. Respecter, c'est porter de l'attention à quelqu'un. Mais il est vrai qu'il est plus facile de respecter ceux qui te ressemblent et ont les mêmes passions : le foot, les jeux vidéo, le cinéma... Moins facile d'aborder la conversation avec le premier de la classe, amateur de jeux d'échec et de musique classique. Vous êtes trop différents ! On ne te demande pas d'être ami avec lui, mais juste de respecter ce qu'il est. Car les différences des uns et des autres sont une richesse. Si tout le monde n'était passionné que de foot, on s'embêterait !

Mes respects, mon cœur

Le respect est la base d'un couple ou d'une amitié : c'est ce qui permet à la relation de grandir et de durer. Respecter l'autre, c'est lui laisser sa liberté. Ta copine a le droit de ne pas penser comme toi, de ne pas tout te dire, de réagir différemment de toi. Respecter, c'est aussi être tolérant et humble. Tu peux te tromper et l'autre peut avoir raison ! Respecter les opinions de l'autre, c'est une preuve d'ouverture d'esprit.

Voir aussi
Amoureux
Liberté
Potes
Racisme

« On respecte un homme qui se respecte lui-même. »

Balzac

Un peu de respect, jeune homme...

- Rendre le T-shirt de ton meilleur pote roulé en boule dans la boue (moisie !) du match d'y a quinze jours – 0 respect, carton rouge !

- Faire semblant de ne pas voir que tout le bus est exaspéré par ta musique à fond... 0 respect, carton assuré quand le gros balèze du fond décidera de s'énerver !

- Céder ton strapontin à une vieille dame toute voûtée – 100% respect ! (et carton plein auprès de toutes les demoiselles du wagon !)

Nantes express

« J'ai fait Paris-Nantes en deux heures à peine.
– Punaise ! Y a bien 400 bornes ! T'as dû la booster, ta machine.
– Non, non, t'as pas compris. Je suis parti en TGV. »

SCOOTER

SCOOT TOUJOURS

Libre comme l'air !

Plus rapide que les rollers ou le skate, à 14 ans, ça y est, on peut enfin conduire un scooter. À toi l'indépendance ! Tu n'es plus obligé de demander à tes parents de te conduire çà et là. Tu peux aller te balader avec des copains et, si tu as un biplace et des repose-pieds, tu peux emmener une autre personne, et même une fille, tiens ! Pratique, sympa, donc, mais à condition de respecter un certain nombre d'obligations pour que les virées ne tournent pas au drame pour toi ou ton passager.

Pas donné

BSR + prix du scooter + casque + assurance + essence + antivol : stop, ça fait mal. Tu peux comprendre que ta famille ne puisse t'offrir le plaisir de rouler à 45 km/h. Moins cher, le vélo : 25 km/h de moins, mais pas sûr que ça déplaise aux filles, un gars avec de beaux mollets musclés !

Oui mais ?

Les règles de conduite, tu les apprendras en passant le BSR (voir ci-contre). Ne pas rouler dans les voies de bus en ville, ni doubler par la droite, ni couper les virages, cela, c'est principalement pour ta sécurité. Laisser son scoot ronfler, stationner ou rouler sur les trottoir, en empêchant le passage des poussettes et des fauteuils roulants, cela ne se fait pas car c'est simplement de la goujaterie.

Faut pas les rater

En classe de 5e et de 3e, tu as des formations au Code de la route. Tu réalises un test (QCM de 20 questions). Si tu as au moins 10/20, tu obtiens les attestations scolaires de sécurité routière (ASSR 1 et 2). Une suffit pour s'inscrire au BSR.

Et le BSR ?

Il s'agit du Brevet de sécurité routière, obligatoire pour conduire un deux-roues motorisé, même s'il fait moins de 50 cm³. Il est délivré par un moniteur d'auto-école qui t'apprendra comment conduire ton futur scooter (changer de direction, éviter les accidents, etc.). Évidemment, ces heures de formation, cinq au minimum, sont payantes ; il faut compter un budget moyen de 200 euros. Attention : conduire sans BSR est puni d'une amende de 35 euros.

Tuning

Passion qui anime certains possesseurs de Mob, scooter ou voiture et qui consiste à embellir son véhicule avec des accessoires (déco, échappement, etc.). Attention ! Certaines modifications comme le changement des roues (plus grandes, plus grosses) ne sont pas autorisées. Tout comme les modifications mécaniques pour qu'un scoot aille plus vite (débridage du moteur) ou fasse plus de bruit.

Voir aussi
Liberté
Voiture

FASTTT!!!

SORTIES

Tous mammifères

« Tu crois que mes seins vont pousser comme ceux de Chloé ?
– Ben non, t'es un mec !
– Parce que les seins de Chloé, quand même, les seins de Chloé... »

SEINS COMME DES OBUS

Une différence... évidente

Un garçon a beau être semblable à une fille, il y a tout de même des caractéristiques physiques qui vous différencient et qui se multiplient à la puberté. Durant cette période, vous avez en commun le fait de grandir, de muer, de voir la pilosité se développer. Pour le reste, ça diffère : les ovaires (tu n'en as pas, faut-il le rappeler) produisent des ovules, une fille a des règles et peut alors être mère et allaiter un enfant : c'est la fonction première du sein. Pendant la puberté, le sein se transforme et grossit jusqu'à avoir sa taille « adulte ». Ce diable de sein sur lequel se pose tant de regards, et peut-être, sûrement même, les tiens.

Coup d'œil discret exigé

Loucher sur les filles et leurs formes n'est pas idiot ou répréhensible, d'autant qu'elles le font tout autant. Cependant, il est nettement plus classe de le faire avec modération et le plus discrètement possible. Quand une copine a un décolleté et des seins qui te paraissent charmants, tâche de lui parler en la regardant dans les yeux. Elle n'est pas qu'un buste.

Lui en parler une fois, si vous êtes très proches, cela passera, mais faire des commentaires à tout bout de champ sur leur taille, vouloir s'en servir comme repose-tête, punching-ball ou essuie-mains, ne servira que ta réputation d'odieux personnage. Les seins, comme le sexe, relèvent de l'intimité, et donc de la pudeur. Tu n'aimerais sans doute pas que l'on reluque sans cesse ton entrejambe ou que l'on te parle à chaque instant de la taille de ton pénis, alors comprends qu'il en est de même pour les filles et leur jolie poitrine.

Code secret

85 C, 90 B, 110 D. Mais de quoi elles parlent ? Utilisent-elles des formules magiques pour nous envoûter ? Un langage codé afin de ne pas dévoiler leurs combines ? Ah ah ! Raté. Car voilà déchiffré ce mystérieux code employé par les filles pour désigner la taille de leur soutien-gorge. Le nombre correspond au tour de dos, la lettre à la taille du bonnet, la forme en tissu où vient se nicher le sein (pas la tête, hein, même si c'est le même mot). 80 A : petit dos, petits seins ; 115 E, oh ! là, là ! tu peux sans te tromper l'appeler madame.

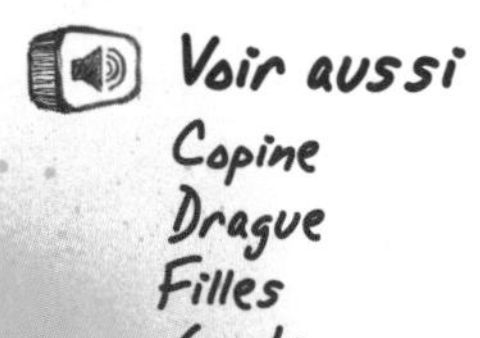

Fête foraine

« Tu m'as pas dit comment ça s'était passé avec Paula.
- Dingue. On a fait des trucs dingues.
- Genre ?
- Grand huit, auto tamponneuses.
- Hum, c'est spécial, ça. Je connais pas.
- Je te parle de la fête foraine, là. Tu imaginais quoi ? »

FRISSONS

SEXE

Mille e tre

1 003, donc, traduit de l'italien. Dans l'opéra de Mozart, c'est le nombre de femmes qu'aurait conquises Don Juan selon son valet Leporello. Si vous connaissez la fin de l'histoire, vous savez que ça ne lui a pas porté chance : oust, aux enfers ! D'après une enquête, les Français auraient, eux, dans leur vie une moyenne de 11,1 partenaires pour les hommes, de 4,4 pour les femmes. Sachant qu'il y a environ autant de personnes de chaque sexe, vous ne trouvez pas ça bizarre ? Y aurait pas des vantards ou des cachottières ?

C'est pour quand ?

À partir de la puberté, les relations sexuelles sont légalement possibles. La majorité sexuelle est en effet fixée à 15 ans (mais les parents peuvent cependant porter plainte contre une personne ayant des relations avec leur enfant mineur). Évidemment, tout n'est pas une affaire de loi. Surtout à ce sujet qui relève essentiellement du domaine privé. Disons qu'il faut d'abord en éprouver l'envie (généralement, les hormones s'en chargent), puis de trouver un(e) complice. L'essentiel est alors qu'il y ait consentement, que chacun ait envie et qu'aucun n'exerce de pressions physiques ou psychologiques du type « si tu veux pas, je te quitte ».

Et surtout...

Le sexe n'est pas qu'une affaire d'envie. Il a une dimension affective très forte. C'est un échange qui a du sens, qui engage ton être et non pas seulement ton corps. On dit d'ailleurs « faire l'amour ». Le « comment faire » ne sert à rien si tu ne sais pas « pourquoi » tu le fais.

Oui mais comment ?

Et ça se fait comment, l'amour ? On s'embrasse à pleine bouche, on s'arrache les vêtements et on se saute dessus ? À chacun de voir, mais pas sûr que l'option « sauvage » soit la plus appréciée. On peut s'embrasser, certes, puis se caresser sans plonger directement les mains dans les sous-vêtements de l'amoureux(se), tout ce qu'on appelle les « préliminaires ». Parmi lesquels on peut compter des actes qui prennent ensuite un caractère nettement plus « chaud » tels que la masturbation mutuelle ou les « caresses bucco-génitales » : une bouche (langue) sur le sexe d'un garçon, on appelle cela

« J'ai été comment ? »

Il se dit que c'est la question que posent toujours les hommes après une relation sexuelle : ils s'inquiètent donc de savoir si leur partenaire a éprouvé du plaisir. Pour cela, il convient de ne pas oublier que si la personne avec qui l'on couche est une femme, elle est différente de l'homme. Et qu'elle ne parvient pas à la jouissance de la même manière que lui. L'organe à l'origine de son plaisir n'est pas un pénis, on s'en serait douté, ni son vagin, mais son clitoris (pour le découvrir, voir un schéma anatomique). À ne pas oublier donc durant les relations amoureuses si l'on veut s'entendre répondre à cette question : « Mais formidable ! »

Conseils

Il est recommandé de parler pendant l'amour, de s'enquérir que tout va bien, et d'écouter l'autre, d'être délicat avec lui.

poliment une fellation, plus vulgairement une pipe, et sur le sexe d'une fille, un cunnilingus.

Oui, bon, et après ?

Eh bien, disons que si le sexe en érection du monsieur pénètre (doucement, hein, on n'est pas des bêtes) le sexe de madame, va, vient, etc., on appellera cela une relation sexuelle classique (avec les variantes que l'on peut imaginer : debout, assis, couché, etc.).

Piqûre de rappel

Notons bien que, quelles que soient les pratiques sexuelles, elles doivent être absolument consenties, c'est-à-dire acceptées et désirées par chacun, sinon, cela risque fort de ne pas être une partie de plaisir et de détruire les sentiments existants. Ainsi, tout acte à caractère sexuel imposé est considéré comme une agression ou un viol et est passible d'une condamnation judiciaire.

Et combien de...

Temps ? Fois ? Pour avoir du plaisir et en donner ? Pas de règles en ce domaine. Le mieux est de faire en fonction de ses envies et surtout de celles de l'autre, de l'écouter et de savoir ce qui lui plaît. Les prouesses (du type « ça dure des heures »), les actes athlétiques, la vulgarité, tout ce qui s'apparente à la sexualité que l'on trouve dans les films porno est rarement prisé par les filles qui préfèrent en général un amoureux un peu tendre à une grosse brute machiste qui la plaque dans une position inconfortable et l'oblige à adorer le contenu de son slip comme s'il s'agissait de la tour Eiffel.

Sodomie

Si l'orifice choisit pour la « promenade » est l'anus, on nomme cela la sodomie, pratique pas forcément recommandable pour des débuts dans la sexualité surtout, que les filles sont en général moins partantes que les garçons pour cette pratique banalisée par la pornographie. La sodomie nécessite l'usage d'un gel lubrifiant en vente dans les rayons « pharmacie » vers le présentoir préservatif (lire la notice attentivement, ce n'est pas du dentifrice).

Adieu choux, rose, cigogne... et microbes

Faire l'amour, super. Mais il faut se souvenir tout de même que l'acte sexuel a pour fonction, à l'origine, la reproduction. Une conséquence possible, après le plaisir éprouvé, c'est que ta copine soit enceinte et que neuf mois plus tard tu commences à faire le tour des rayons pour acheter des couches et du shampooing bébé. Si on peut éviter, hein ! Et même si ta partenaire te dit utiliser un contraceptif (la pilule), la capote, elle, offre en plus le moyen le plus sûr de vous prémunir mutuellement des IST. Double bonus, donc.

Voir aussi
Amoureux
Copine
IST
Premier baiser
Préservatif
Puceau

Pannes

Il peut arriver que, malgré l'envie de faire l'amour, le sexe se rebelle, le traître. Et refuse d'être en érection. Pourquoi ? La fatigue, un blocage psychologique (en raison d'un souci, d'un mauvais souvenir qui resurgit à ce moment), l'absorption de médicament, de drogue ou d'alcool. Il existe de nombreux facteurs susceptibles de provoquer ce que l'on appelle l'impuissance, qui est rarement durable lorsqu'on est jeune. Pas de panique et surtout ne pas prendre de médicaments ou substances bidon qui peuvent être toxiques et avoir des effets indésirables et contraire à ceux recherchés (les aphrodisiaques). Si ce problème persiste, il faut consulter un médecin qui saura indiquer un traitement adéquat.

Trop rapide

Autre problème qui peut advenir : l'éjaculation précoce. Trop excité, pof, l'homme commence tout juste à faire l'amour que, zut, il jouit. Que faire ? Attendre pour recommencer et être un peu moins tout fou ? Utiliser des préservatifs un peu costauds qui diminuent les sensations et retardent le moment de l'éjaculation. Ou consulter également si cela se reproduit chaque fois. Il faut savoir tout de même qu'en général, un homme atteint le plaisir plus rapidement qu'une femme. Ce qui veut dire qu'il faut essayer dans ce cas de ne pas s'endormir tout de suite après être comblé, gentlemen.

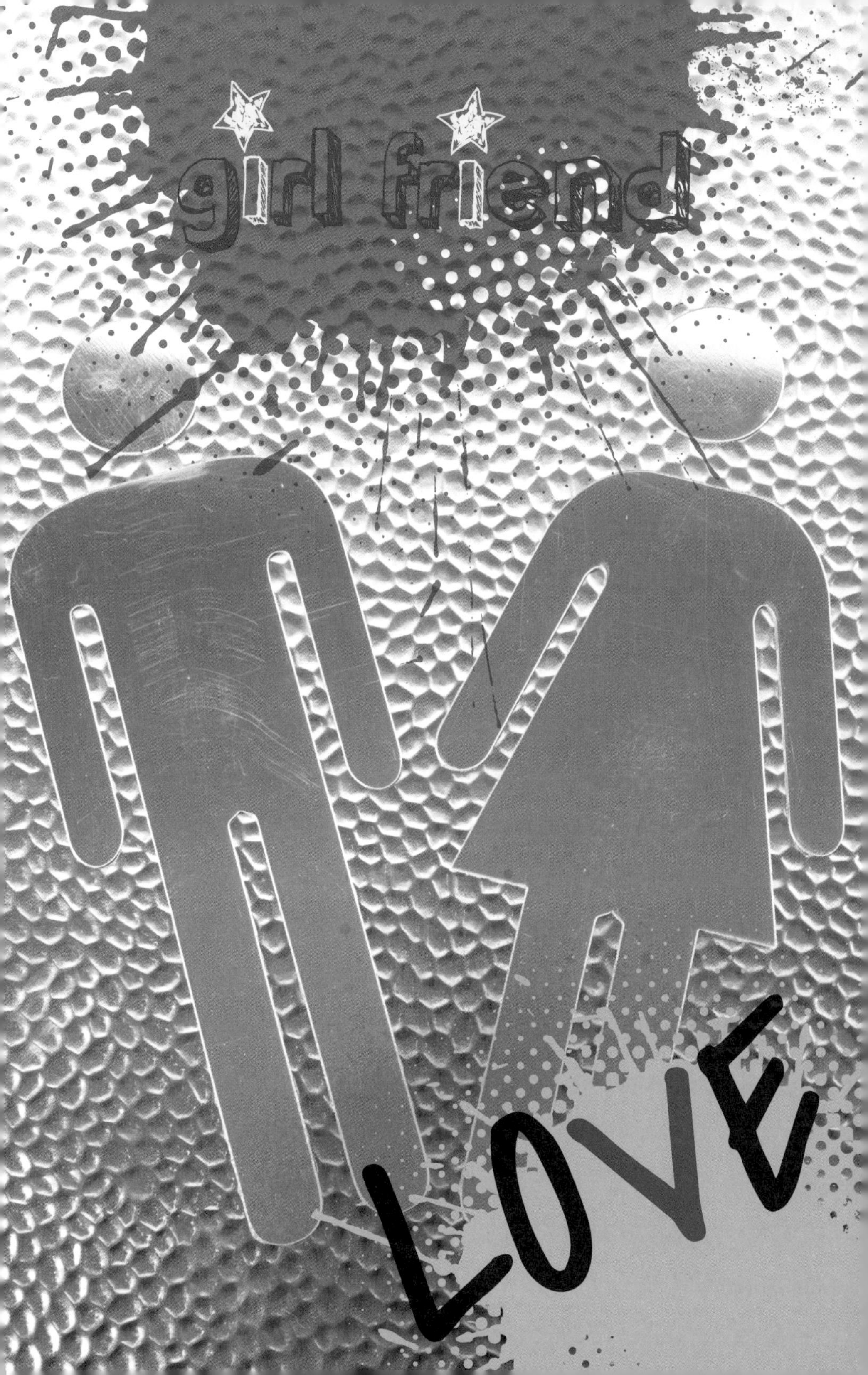
girl friend
LOVE

SLIP OU C

À TOI
DE CHOISIR !

Avantages du slip

- Maintient bien ce qui doit être maintenu, pour le sport, notamment.
- Tient chaud l'hiver.
- Rappelle les maillots de bains des athlètes.

ALEÇON ?

Et sinon...

Il y a le boxer, bon compromis entre slip et caleçon.

Avantages du caleçon

- Ne comprime pas ce qui ne doit pas être comprimé.
- Aère l'été.
- Ne se voit pas sous un slim, contrairement au slip.

SOLITUDE

UNE BONNE COMPAGNIE POUR SOI-MÊME

Revue des troupes

Amis virtuels : 1256.
Tchats : 27 inscriptions.
Blogs, forums... Oui, bon. Mais punaise, mon répertoire téléphonique est... vide. Je vais quand même pas aller à la piscine avec mon ordi !

La paix, s'il vous plaît

Toute la semaine avec 500 gusses au bahut, le soir, en rentrant, les parents ou les frères et sœurs qui veulent jouer, te parler. STOP ! Tu as envie de te planquer dans ta chambre pour lire ou rêver. Logique, tu as besoin de te poser et de te reposer. Pour les activités qui nécessitent réflexion et concentration – les devoirs par exemple - mieux vaut également ne pas être dérangé. La solitude, dans ce cas, est voulue. Certains la recherchent plus que d'autres, les champions étant les ermites (voir encadré bleu ci-contre), sans être pour cela neurasthéniques ou misanthropes. Mais la solitude n'est pas toujours voulue ; elle est plus souvent subie et mal vécue.

Personne ne m'aime ?

Six milliards d'êtres humains et pas un avec qui s'entendre ? Personne de ton école avec qui partager tes goûts, tes joies ou tes problèmes ? Peut-être es-tu trop timide, pas sûr de toi ? Tu as peur qu'on te chambre sur tes notes, tes fringues, ta famille et, du coup, tu fais l'autruche ; tranquille, seul, personne ne viendra te mettre la honte. Mais cette solitude à laquelle tu te résignes n'est pas une solution. Et tu en souffres.

Help !

Peut-être faut-il baisser la barre, te dire que si tu ne te trouves pas parfait, les autres ne le sont pas non plus. Et tâcher de rencontrer des gens qui n'ont aucunement l'intention de te juger mais de réaliser des choses ensemble, comme dans les associations où tu peux devenir bénévole. En devenant utile aux autres ou à une cause, tu prendras confiance en toi, et tu découvriras que les rapports humains et amicaux ne dépendent pas du tout de la marque de tes pompes ou de la présence éventuelle d'un bouton sur ton front.

Michel Siffre, spéléologue, a passé 69 jours sous terre seul pour des expériences scientifiques.
Pas mal non plus, Alain Bombard a dérivé sans assistance dans l'Atlantique pendant 113 jours sur un Zodiac pour étudier les conditions de survie des naufragés. Ouais, mais ils ne peuvent pas trop se la péter non plus, rapport au gars Paul (228-342, non, il n'y a pas d'erreur) : s'étant enfui dans le désert pour fuir les persécutions d'un empereur contre les chrétiens, il aurait vécu entre 60 et 90 ans dans une grotte en compagnie d'un seul palmier. Pas cool pour faire un foot. L'Église en fit un saint et le surnomma « l'ermite », le premier, avant que ce mode de vie soit adopté par un certain nombre de croyants.

Voir aussi
Confiance
Famille
Meilleur pote
Potes

Joute musicale

« Je pense à un truc, là, comme ça.
Ne trouves-tu pas que le silence est d'or ?
– Ce que tu murmures est beau, juste et bon.
Mais la musique adoucit les mœurs, ne crois-tu pas ?
– Cher, je ne peux contester cette vérité.
Alors raboule rapido ton casque et ton lecteur MP3 ! »

Fils, tu connais Jimi Hendrix ? c'est de la bombe !

Papa

Mon chéri, écoute un peu Serge Reggiani, cela t'aidera à comprendre l'amour et les filles !
Bisous.
Maman qui t'aime.

Mauvais son

Tu organises ou participes à une fête, à une répétition. Attention à ne pas déranger les voisins (même si tu les as prévenus). Entre 22 heures et 7 heures, s'ils appellent la police (ou la gendarmerie) qui constate un excès de bruit – ce qu'on appelle le « tapage nocturne » – tu es passible d'une contravention de 450 euros. Ça fait cher la soirée !

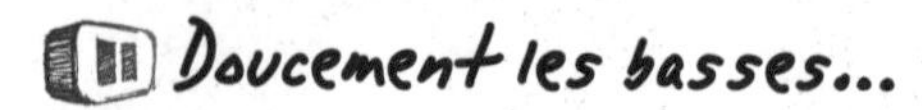

Doucement les basses...

... et les aigus. Bon, il n'est pas question de critiquer la musique, de quelque genre qu'elle soit. Tu préfères le rap aux airs d'opéra ou vice versa : peu importe. En écouter beaucoup, pas de problème. Mais, alors ? Le volume, voilà la source d'embrouilles possible. La première te concerne : si tu t'exposes à un son trop fort, tu deviendras sourd. Cinq minutes avec des écouteurs réglés au maximum causent des lésions définitives. Pas génial, surtout lorsqu'on adore la musique. D'autre part, comme tu peux ne pas apprécier la musique des autres, évite d'imposer la tienne à ta famille, à tes voisins de palier, de bus ou de plage. Ce qui n'empêche pas de vouloir la partager. Et, pourquoi pas, c'est le meilleur moyen, d'en faire avec des copains.

Rester groupés

Accessoires : un ou deux instruments, une voix, pour débuter. Un garage, un parc même, pour répéter. Pas besoin de grand-chose hormis de volonté pour créer un groupe. Des « dangers » existent cependant. Le premier est de vouloir imposer ses choix aux autres et que très vite la bande explose. Le deuxième est de choper le melon après un ou deux concerts et de croire que, parce qu'une vingtaine de potes vous a applaudis, les caméras vont débarquer et les filles tapisser leurs murs avec vos binettes en récitant vos prénoms. Chaque chose en son temps...

Voir aussi
Ciné
Concert
Famille
Potes

110

Un peu moins qu'un avion au décollage, mais suffisant pour te bousiller les tympans, c'est la mesure moyenne des décibels lors des concerts de rock. Tu vendrais tes tongs pour voir de près tes idoles ? Ne te place tout de même pas juste devant les enceintes. Sinon, un bon moyen pour ne pas partir du show complètement sourdingue est de se protéger : pas avec des préservatifs, hein, cette fois. Mais avec des bouchons d'oreilles parfois distribués gratuitement dans les salles ou vendus en pharmacie.

MUSIC

Basket-ball
Plus haut
SPO
MO
YOUR B
Football
Plus vite

RT
VE
DY !
Tennis
Plus fort
Judo
Plus par terre

STRESS
À FLEUR DE PEAU

Cannibale

« Je ne comprends pas pourquoi tu fais ça.
- Bah tu sais, la vie, les ennuis...
- Oui mais là, c'est un peu excessif. Des ongles, t'en as plus. T'es pas non plus obligé de te bouffer la troisième phalange des doigts.
- Si, je suis obligé ! Comme dit ma mère, faut pas gâcher, il reste de la viande. »

Les cochons aussi ?

Pas cool, les animaux ? Surtout lorsqu'on les emmène à l'abattoir. Entassés dans des bétaillères, ils stressent. Pas de panique, les bestioles, on a trouvé un moyen de vous détendre après cet éprouvant voyage : une petite douche. Ils adorent, paraît-il. C'est sympa ? Bof, plutôt intéressé car un cochon stressé donne une viande de mauvaise qualité. Vous reprendrez bien un peu de salade ?

Une overdose

Les chocottes de redoubler, tes parents qui te réprimandent, ta sœur qui hurle sa chanson préférée, des types qui t'arrêtent dans la rue pour te racketter, une voiture qui frôle ton guidon sur le chemin du bahut : stress. Chaque fois que ton environnement t'agresse, ton cerveau produit des hormones, adrénaline et cortisol, censées te permettre de réagir rapidement. Sauf que, si tu es (ou te sens, les gens réagissent différemment à un même événement) toujours sous tension, ces hormones produites à haute dose ont des effets gênants (insomnie, irritabilité, épuisement, etc.) pouvant aboutir à une dépression.

Au vert

Tu aimes bien vivre intensément, avoir des sensations fortes, tant mieux, mais attention tout de même à ne pas charger la mule (c'est toi). Pour éviter le stress et ses effets néfastes, il faut savoir se reposer pour récupérer afin d'être ensuite de nouveau à fond les ballons. Et, par exemple, après une journée stressante, pas la peine de boire un litron de café en fumant quinze clopes (même pas une !) tout en bombardant des morts-vivants avec la barre d'espace d'un clavier (ou avec le joystick, la wimote, le nunchuck : pareil, c'est pas mieux). « Une tisane et au lit » : tu n'es pas obligé non plus d'adopter le régime « mémé ». Mais des activités plutôt calmes – une demi-heure à la piscine municipale, un peu de musique volume 2,5/10 – sont conseillées pour, le lendemain, remanger du lion, et pas tes ongles.

Conseils d'orientation

Si tu es stressé, voici une liste de professions que tu peux envisager d'exercer ou qu'il vaut mieux fuir.

Conseillées :
glaneur (de pommes de terre, champignons, châtaignes), prof de yoga, gardien de chèvres.

Déconseillées :
policier, urgentiste, président de la République, Père Noël le 24 décembre.

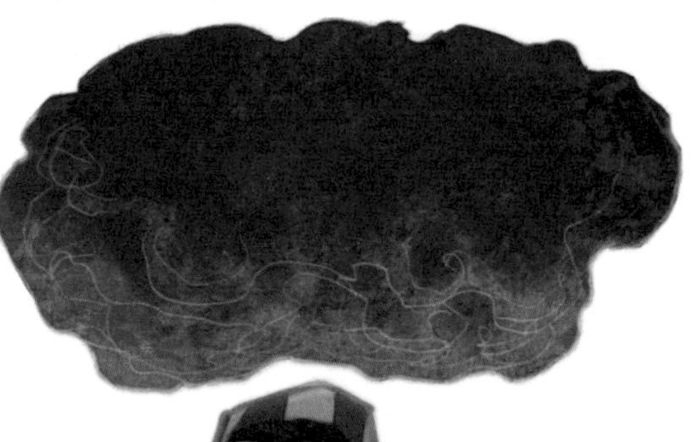

Voir aussi

Avenir
Bad
Études
Zen

À MÊME LA PEAU

À ne pas oublier

Un tatouage est permanent. Alors les messages du type : « Mes meilleurs potes sont David et Jonathan » ou « Julie est la femme de ma vie » risquent de devenir caducs rapidement, dès que tu déménageras par exemple... Préfère-leur un dessin, si tu tiens absolument à te faire tatouer.

U
MICKEY-FEVER

TÉLÉVISION

QUESTION DE LUCARNE

Petit mensonge entre amis

« Moi, je ne la regarde plus jamais.
– C'est étrange. Tu ne parlais pas d'une série avec Paul, tout à l'heure ?
Tu es allé sur le tournage aux States ou quoi ?
– Très drôle. Je l'ai vu sur l'ordi, l'épisode. »

Archéologie

Grosse, bombée, rivée sur une table au milieu du salon, avec des images en noir et blanc et des programmes quelques heures par jour seulement, la télévision n'a pas toujours été celle que tu connais. Aujourd'hui, à condition d'être équipé, tu peux la regarder à toute heure et en couleurs sur un ordi, un écran plat et, depuis quelque temps, n'importe où sur un téléphone ou des tablettes. Elle offre la possibilité de s'informer grâce aux actualités et aux documentaires, mais aussi de se divertir avec les films, les séries, les clips ou encore le

> **3 h 32**
>
> C'est la durée moyenne que les Français passent chaque jour devant la télévision. Y a pas que les ados qui sont « toxicos ».

sport. Pas mal, donc. Mais pourquoi entends-tu alors si souvent tes parents ou tes profs te dire qu'il ne faut pas en abuser, que tu ferais mieux le soir d'aller te coucher ?

Dormir

Adolescent, ton corps – de rêve ? – a besoin de neuf heures de sommeil quotidiennes. Sans cela, tu passeras des journées pourries, tu seras stressé, tes résultats scolaires ou sportifs risquent d'être médiocres et du coup, démotivé, tu peux sombrer dans le blues. L'école demande une sacrée santé. C'est pour cela qu'il faut se reposer. Pas grave si tu loupes des clips ou un film, tu trouveras sans doute des moyens (voir « Rattrapage » ci-dessous) pour les voir plus tard.

Bouge !

Attention, la télé, c'est addictif. Allez, je regarde juste cet épisode. Oh, un deuxième. Et qu'est-ce qu'il y a sur une autre chaîne ? Ah non, je ne peux pas rater ça ! Finalement, tu passes l'après-midi scotché alors que la vraie vie t'attend dehors. Et tu ne sais même plus ce que tu viens de regarder ! Allez zou ! Quitte le canapé et l'écran hypnotique et va planter des buts dans une vraie lucarne !

Illégal

Le téléchargement consiste à enregistrer sur son ordinateur des fichiers, que ce soit des films ou de la musique. Si tu envoies un morceau que tu as composé avec un logiciel ou une vidéo filmée toi-même, pas de problème. Mais si tu pirates des chansons ou des films, ça peut coûter cher (jusqu'à 300 000 euros d'amende). Autant se payer une place de ciné.

Voir aussi
Études
Sport
Stress

Rattrapage

Pas de chance ! Tu as un match important à jouer avec ton équipe, un copain fête son anniversaire... et ça tombe le même jour et à la même heure que la série télé que tu suis depuis des mois. Ça t'embête vraiment de manquer un épisode. Il y a peut-être une solution si tes parents possèdent un enregistreur numérique. Certains fournisseurs d'accès Internet offrent également la possibilité d'enregistrer des émissions grâce à leur boîtier. Et, aujourd'hui, de nombreuses chaînes permettent de visionner certains de leurs programmes durant un temps donné (souvent une semaine après la première diffusion) sur leur sites Internet (pluzz.fr, m6replay.fr, etc.).

L'écurie

Pas étonnant que le prof ouvre toutes les fenêtres de la classe ! Vous sortez tous d'EPS, il fait beau et vous avez bien transpiré. Alors c'est sûr que ça sent pas vraiment la rose, c'est un doux euphémisme...

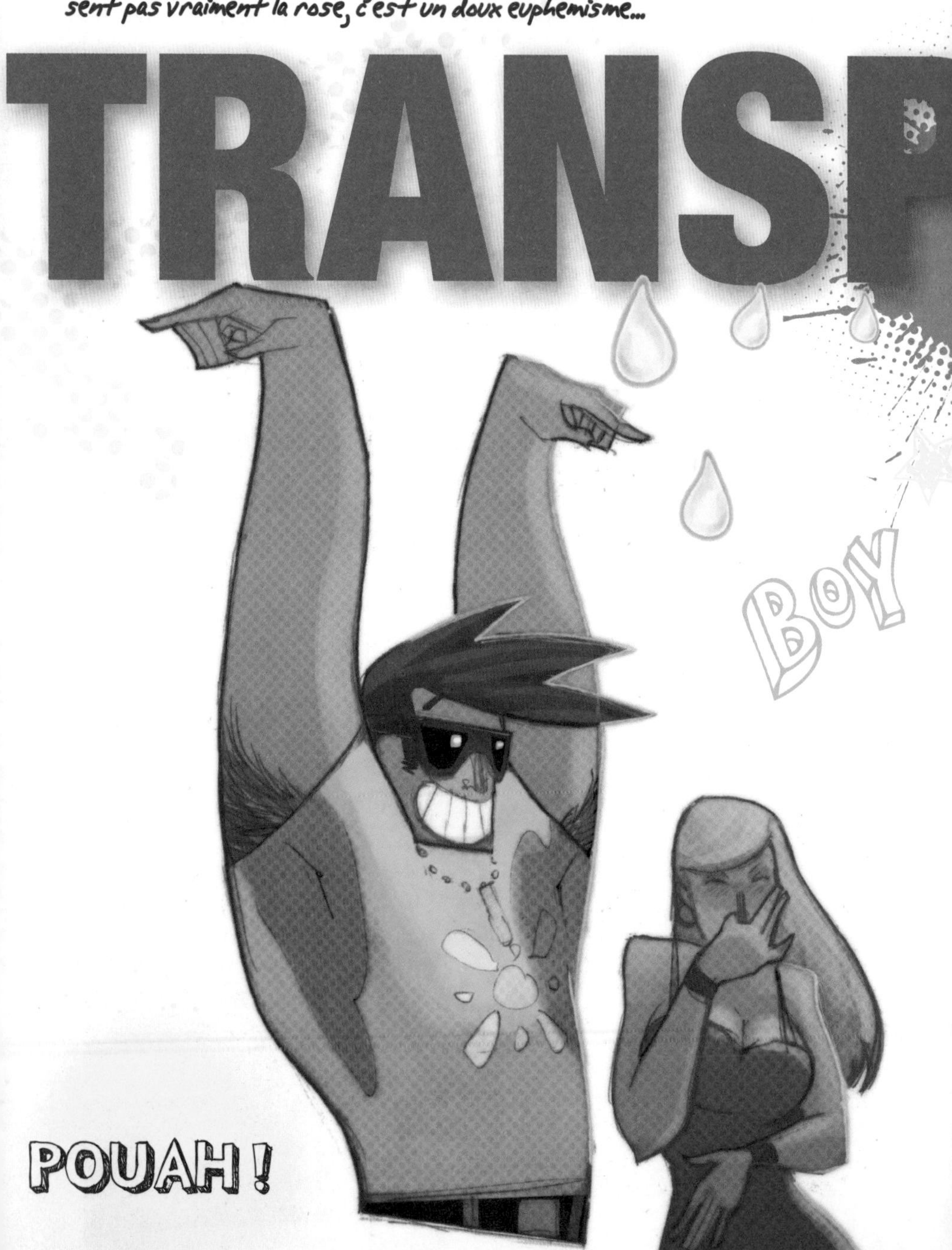

ÇA SENT LE PONEY !

IRATION

À la douche !

Contre la transpiration, il n'y a rien à faire. Elle permet au corps de se refroidir quand il fait trop chaud et de se maintenir toujours à la même température : un vrai régulateur thermique ! Le problème, c'est que ça sent pas bien bon... La transpiration, c'est juste de l'eau et du sel mais, lorsqu'elle macère sous tes vêtements, au contact des bactéries... au secours ! Une seule solution : une bonne douche.

Le déo, ton meilleur ami

Après la douche, un coup de déodorant. En spray, en stick ou en gel, il va vite devenir ton meilleur ami et t'éviter d'avoir des auréoles sous les bras. Attention, les plus parfumés ne sont pas forcément les plus efficaces. Tu devras en essayer plusieurs avant de trouver celui qui te convient vraiment !

Mauvais plan

Tu te dis peut-être qu'il y a plein d'avantages à être sale et à sentir mauvais : les gens s'écartent sur ton passage, tu as toujours de la place dans le bus, tu es enfin tranquille. Oui, mais aucune fille ne t'approche à moins de cent mètres et même tes meilleurs amis te parlent à une distance respectable. Il est possible que tu préfères garder tes amis, séduire les filles et te sentir frais comme un gardon en sortant de la douche, non ?

Ce qui plaît aux filles

Un garçon propre, qui sent bon. Plan drague 100% garanti.

Certains endroits plus que d'autres

Comme tes pieds sont enfermés en permanence dans des chaussures, ils macèrent plus qu'ailleurs. Donc ils sentent plus fort aussi. Au point que tu hésites à retirer tes baskets quand tu n'es pas tout seul... Il faut donc changer tous les jours de chaussettes et investir dans une petite bombe à pulvériser dans les chaussures pour qu'elles perdent leurs odeurs tue-mouches. Pas du déo direct sur les pieds, ça ne sert à rien !

Tiens, mon chéri, je t'ai acheté un nouveau déo. Essaie-le !

Maman

SOS linge sale

Rien ne sert de se laver si on n'a pas de vêtements propres ! Même ton jean préféré, dans lequel tu te sens si bien et si beau. Si, si ! Il doit faire de temps en temps un petit tour de tambour ! Inutile de te laver trois fois par jour si tu portes le tee-shirt de la veille dans lequel tu as bien transpiré... Quant aux sous-vêtements, c'est tous les jours qu'il faut les changer. O-B-L-I-G-A-T-O-I-R-E ! Faut dire qu'ils sont les premiers concernés par la transpiration.

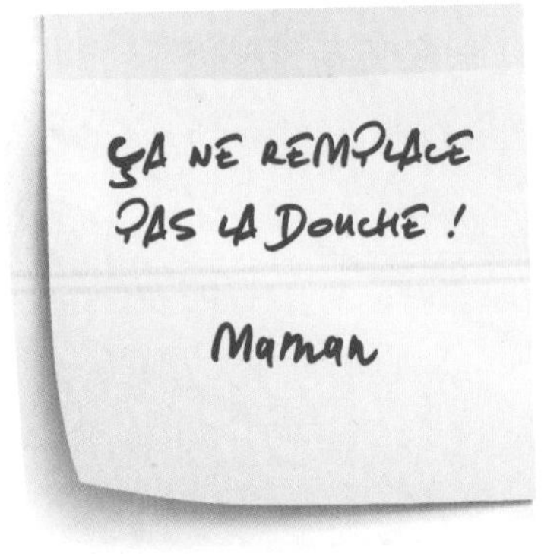

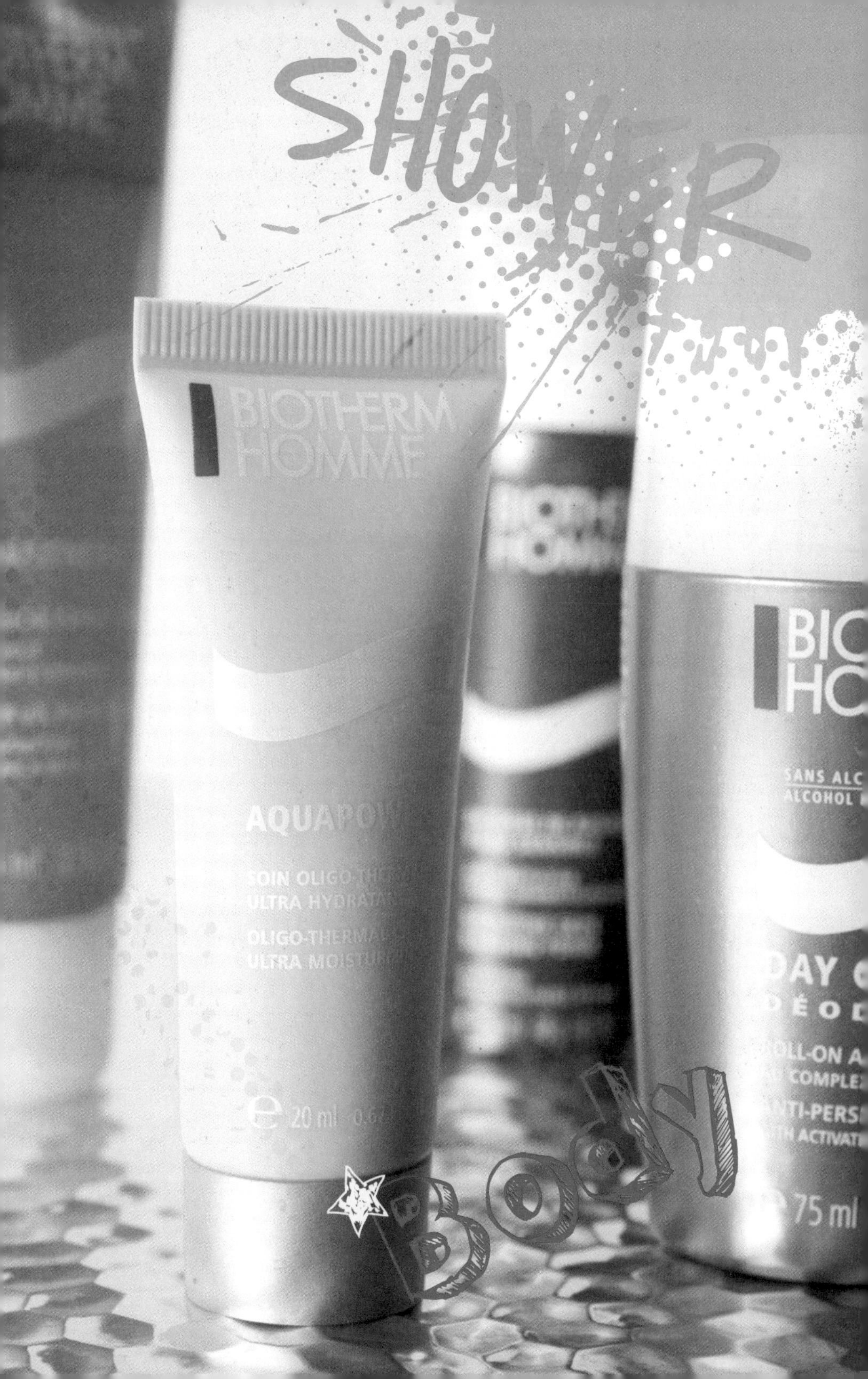
SHOWER
BIOTHERM
HOMME
20 ml
75 ml
Body

TRIBU

À CHACUN SON STYLE !

Voir aussi
Liberté
Look
Potes

LOOK

Rappeur
Gothique
Tektonik
Romantique
Rastaman

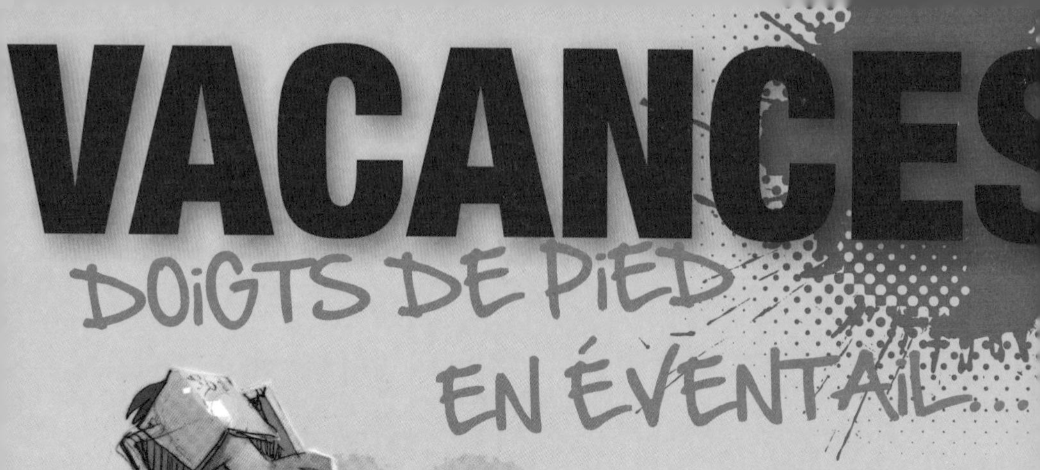
VACANCES
DOIGTS DE PIED
EN ÉVENTAIL

À LA MER.
TRÈS FATIGANT.

41
EN VILLE.
TRÈS SPORTIF

À LA MONTAGNE.
TRÈS NATURE...

À LA CAMPAGNE.
TRÈS RELAXANT...

Laisse tomber !

« Edmond-Claude, vous êtes impayable !
- Comment, misérable ? Pourquoi ne serais-je pas payé ? De quoi, d'ailleurs ?
- Euh, je voulais dire qu'elle était bien bonne !
- Bien bonne ? Vous désignez ainsi ma sœur, goujat ?
- Mais non, votre blague. Votre blague était bonne. Enfin, oublions tout ! »

On oublie maintenant

• Les blagues Carambar, les histoires de Toto, sauf si on veut se faire chambrer ou avoir plein de copains de bac à sable au square.

• Les vannes racistes, sexistes, machistes même si, allez, juste une petite histoire de blondes, hein, une fois de temps en temps, devant des copines brunes...

Mauvaises blagues

L'humour et les vannes, c'est vraiment important parce qu'ils sont à la fois une potion anti stress et le moyen de désamorcer la plupart des conflits. Cependant, leur usage doit respecter des règles tacites si on veut s'épargner certains désagréments. Toutes les situations ne sont pas appropriées : durant un devoir surveillé, face à quelqu'un en grande détresse ou à un policier qui te demande tes papiers (surtout si tu ne les as pas), vannes à éviter ! Une plaisanterie, oui, mais si elle est répétée à l'infini et concerne toujours la même personne, ce n'est plus drôle. On appelle cela de l'acharnement, du harcèlement et cela témoigne de la bêtise et de la méchanceté de son auteur.

Épater la galerie

Important également, connaître son public. Tu ne feras pas rire ta petite sœur et ton grand-père avec la même blague, avec le même type d'humour. Il faut partager un vocabulaire commun et savoir si ton auditoire possède tes connaissances, des éléments de ta culture pour rire des mêmes choses que toi.

Clown

Un sujet qui peut être l'objet de tes plaisanteries sans risque qu'elles soient mal prises, c'est toi-même. Tu n'agresses personne et désarmes ainsi les critiques qui pourraient t'être faites en reconnaissant et en riant de tes défauts. Pas évident pour l'orgueil, mais bonne pioche pour se mettre les gens dans la poche. Les filles, surtout, qui préfèrent souvent les hommes drôles aux caïds vantards. Mais attention, l'autodérision ne consiste pas non plus à se dénigrer soi-même tout le temps.

Ce qui fait rire (ou pas)...

- **Les frangines :** lire à haute voix les emails de leur petit copain devant papa, maman...
- **Les parents :** venir te chercher la nuit au commissariat parce que tu as volé un œuf, un bœuf.
- **Les profs :** rien, ils ne rigolent jamais.
- **Les baleines :** le capitaine Achab.
- **Les bossus :** les plaines (OK, on va se coucher).

Voir aussi
Confiance
Drague
Filles
Potes

VESTIAIRES

À L'AISE, BLAISE !

Amabilités

« Trop naze, le slobard. Puis vous avez vu ses cuisses, on dirait le croisement d'un crabe et d'une autruche. Bonjour le volatile !
– Oui ben, ce drôle d'oiseau, il nous a fait gagner le match, alors écrase, Max ! »

Racket

Afin d'éviter qu'on ne te vole ton téléphone lorsque tu es sous la douche ou qu'on ne te rackette ton MP3, la meilleure solution est de laisser tes objets de valeur chez toi ou dans un casier. Pour des braqueurs, les slips et chaussettes, ça fait pas rêver. Pour les blagueurs, en revanche, c'est une autre histoire...

Scène des crimes

Pourquoi les vestiaires font-ils si souvent peur? Relativement clos, sans adultes (sauf pour venir passer une soufflante lorsque ça chahute trop), c'est l'endroit où l'on ôte tout ou partie de ce que l'on croit être une armure, les vêtements. Nu ou presque, ta pudeur en prend un coup. Te voilà fort mal à l'aise, tétanisé par la moindre blague à laquelle tu aurais répondu du tac au tac dans la cour. À moitié enfermé, tu vas devoir traverser une allée de potes qui vont commenter, au mieux, la marque de tes fringues, au pis ta pilosité ou tes biceps de serin. Le tableau est affreux, mais il existe des moyens pour l'enjoliver.

BOYS/GIRLS

Tous à poil ?

Si tu as pratiqué des sports collectifs ou du naturisme, être nu et voir les autres en tenue d'Adam te laisse sans doute indifférent. Si ce n'est pas le cas, la pudeur est quelque chose de logique et personne ne peut et ne doit t'obliger à te promener fesses à l'air au milieu de tes congénères. Se doucher, c'est plus pratique nu, mais tu peux garder ton caleçon (si tu en as prévu un de rechange, propre et sec surtout, ce sera encore mieux). Sinon, tu peux juste te laver les endroits « stratégiques », les aisselles notamment, ta voisine de classe n'en sera pas fâchée.

Positive attitude

Et puis, relativise ! Le temps des vestiaires n'est pas forcément dramatique. C'est aussi le moment de quelques débordements de joie lorsqu'une équipe a gagné ou de chahut « autorisé » qui peut ne pas être méchant ou vulgaire. À toi de trouver l'humour pour n'être ni bourreau ni victime.

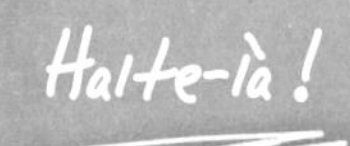

Halte-là !

On le sait, les vestiaires des filles, c'est interdit. Logique, comme toi, elles sont pudiques. Mais comme toi aussi, certaines n'aimeraient-elle pas se glisser discrètement dans les vestiaires qui ne leur sont pas destinés, pour apercevoir des corps musclés ? Vu le succès des calendriers illustrés de photos de rugbymen sortant des douches, on se doute que les acheteurs ne sont pas que des fans d'essais et de mêlées, n'est-ce pas mesdemoiselles ? Et après, on dira que les gars sont des voyeurs !

Voir aussi

Corps
Douche
Potes
Slip ou caleçon ?
Vannes

Pas d'ac !

« Laisse-moi, je veux pas.
– Mais pourtant, tu m'as bien embrassé !
– Oui, mais ça, je ne veux pas. Et quand c'est non...
– ... C'est non. Pigé.
– Super. Du coup, t'as le droit à un baiser. »

VIOL

NON, C'EST NON !

GHB

Un nom énigmatique pour ce qu'on appelle aussi la drogue du viol. Ces trois lettres désignent un acide (gamma-hydroxybutyrate) utilisé en médecine, mais aussi à des fins malhonnêtes. En absorber stimulerait la libido et désinhiberait : on est prêt à faire n'importe quoi. De plus, ce produit altérerait la mémoire si bien qu'on ne se souviendrait de rien. Comme il a peu de goût, il est facilement mélangé à des boissons. Reste vigilant en soirée. Suis le chemin de ton soda de la bouteille jusqu'à ton verre que tu ne laisseras pas traîner !

Ils l'ont bien cherché !

C'est parce qu'elle portait une jupette, du rouge à lèvres, qu'elle s'était parfumée. Comme elle lui avait souri, il a pensé... qu'il pouvait la forcer. Elle est quand même gonflée de se plaindre maintenant, pour quelques ecchymoses. Pas convaincant, ces arguments ? Non. Ce sont pourtant ceux qu'utilisent les violeurs.

Un baiser volé ?

Que désigne-t-on par viol ? Il s'agit d'un acte sexuel (une pénétration anale, buccale ou vaginale) non consenti et imposé par la violence. Celle-ci peut être physique, un violeur utilisera alors sa force ou une arme pour commettre son crime, mais aussi psychologique : un adulte profitera de son autorité pour violer un enfant, un(e) supérieur(e) hiérarchique utilisera son pouvoir afin d'abuser de son employé(e). Pour les victimes de tels actes, il n'existe qu'une solution : porter plainte. Si le coupable est trouvé et condamné, cela évitera qu'un calvaire ne se prolonge (cas des enfants abusés par exemple) et empêchera le criminel de poursuivre de nouvelles proies.

Pas possible, ils sont mariés !

Eh bien si ! Même si l'on vit ensemble ou que l'on est mariés, si l'un des partenaires n'a pas envie d'avoir de relations sexuelles, il n'y est pas obligé et peut même porter plainte si on l'y contraint. Cela s'appelle le viol conjugal et constitue selon la loi française une circonstance aggravante (la peine sera plus lourde que pour un autre type de viol).

Le terme fait penser à un jeu d'enfant mais il s'agit d'une pratique barbare où plusieurs personnes violent une fille ou un garçon (viol en réunion, dit la justice).

ÇA ROULE !

VOITURE

Majorette !

« Tu l'as vue, ma nouvelle voiture !
- Ouais, classe !
- En plus, j'ai pris toutes les options : sièges en cuir, six vitesses, enceintes de compèt !
- C'est-à-dire, je ne vois pas grand-chose dans ce petit modèle réduit. T'as pas une loupe ? »

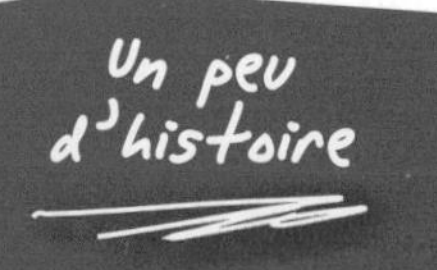

Un peu d'histoire

Les premières voitures ont été créées il n'y a pas si longtemps que ça. La première à avoir été produite en grande série est la fameuse Ford T, en 1908. Aujourd'hui, c'est une antiquité ! Il n'était pas rare de croiser encore des chevaux et des charrettes en plein Paris dans les années d'après-guerre. Tu aurais sans doute pas mal la classe si tu allais en cours à cheval, non ? Puis ça consomme moins d'essence. Mais plus d'avoine !

Du jouet au vrai !

Quand tu étais minot, tu adorais jouer aux petites voitures. Maintenant, tu adorerais en avoir une vraie, rien qu'à toi. Faut dire que la voiture, c'est un sacré symbole ! Il y a même des gens qui pensent que lorsqu'ils ont une groooooooooosse voiture, ils ont tout réussi. Heureusement, la vie est plus compliquée que ça. Pas besoin de voiture pour être un homme, un vrai. Juste d'un cerveau qui fonctionne pas trop mal. Surtout que ça évite de devenir un fou du volant et de conduire n'importe comment à toute berzingue. Parce que l'un des principaux problèmes de la voiture c'est... le conducteur. À cause de l'alcool ou de l'inattention, il y a chaque année plus de 4 000 morts sur les routes françaises ! Ça refroidit !

La conduite accompagnée

Malheureusement, le permis de conduire, c'est 18 ans. Bien sûr, si tu ne peux pas attendre d'être majeur pour conduire, il y a la conduite accompagnée. En faisant passer ta moyenne en maths de 8 à 18, tes parents peuvent être d'accord. Il faut juste que tu aies plus de 16 ans. Et que tu acceptes que tes parents prennent le relais du moniteur d'auto-école pour perfectionner ta conduite, quoi que tu penses de leur façon de tenir le volant et de faire des créneaux...

Conduire, oui mais...

Et quand tu conduiras, n'oublie pas que :

• On respecte les limitations de vitesse, les panneaux, les feux...

• On ne couvre pas de noms d'oiseaux les autres automobilistes, même inconséquents, encore moins s'ils portent un uniforme bleu foncé.

• On prend le volant à jeun, absolument.

• On ne fait pas son kéké pour épater une fille, genre je sais rouler même les yeux fermés.

Les mains dans la graisse

Pour ceux qui sont vraiment passionnés, qui connaissent toutes les marques, tous les modèles, qui font des maquettes de voitures et ont même déjà démonté et remonté plusieurs fois le moteur du break familial, les pros de la mécanique en un mot, lancez-vous ! Il y a plein de formations ou d'études en lien avec l'automobile... et pas seulement pour devenir champion de F1 !

Voir aussi
Fête
Potes
Scooter

BOY
FREE !!!

VOL

AU VOLEUR !

Like a bird

« T'as déjà volé ?
- Ben non, c'est pas bien. J'ai appris ça tout petit...
- Mais non banane, je te parle de voler comme un oiseau !
- Ben j'ai pas d'ailes... »

Voir aussi
Argent
Petits boulots
Racket
Respect

Quand le vol n'en a pas l'air

Tu n'y as peut-être pas pensé mais le téléchargement illégal sur Internet, c'est aussi du vol. C'est comme voler n'importe quel objet ! La meilleure chose à faire pour soutenir ton artiste préféré, c'est d'acheter ce qu'il fait. Ça lui permet de gagner de l'argent pour vivre et de composer de nouveaux albums. Ça ne te viendrait pas à l'idée de voler le pain chez le boulanger, non ? C'est exactement pareil !

Excuses nulles

- « Les supermarchés sont trop chers »
- « J'ai pas assez d'argent »
- « C'est pas grave, ça coûte juste deux euros »
- « Il est blindé de thunes, il ne le verra même pas ! »

Non, non, n'essaie même pas, rien ne peut justifier un vol, on n'est pas dans Robin des Bois !

Voler, un jeu ?

Super ! Aujourd'hui, gros délire : le challenge avec tes potes, c'est d'aller au supermarché voler des trucs sans te faire prendre ! Malin ? Non ! Car le vol est un délit. Même voler des petites choses est interdit. Chaparder des trucs ici ou là, c'est peut-être un jeu pour certains : montée d'adrénaline, plaisir de contourner les règles, pari... Le problème c'est que les conséquences du vol peuvent être graves ! De trois ans de prison et 45 000 euros d'amende à la prison à perpétuité dans certains cas. Puis, imagine la tête de tes parents s'ils doivent venir te récupérer au poste de police ! Ce coup-ci, c'est certain, tu auras gagné le gros lot ! Tu peux dire adieu à toutes tes sorties...

Never

D'ailleurs, le plus simple pour que ça n'arrive pas, c'est de ne jamais rien voler. Même de petit, même dont tu as très envie. Si tu désires quelque chose, trouve une autre solution : attends Noël ou ton anniversaire, travaille un peu pour avoir plus d'argent de poche, demande à tes parents... Mais ne prends pas quelque chose qui n'est pas à toi, tout simplement.

Sentimental

T'imagines ta tête si on te vole ton lecteur MP3 dans les vestiaires ? Sûr que tu ne seras pas content ! Le mec qui te l'a volé n'a sans doute pas imaginé le mal que ça te ferait. Il a juste pensé... à lui et à avoir quelque chose facilement. Alors avant de faire une bêtise, réfléchis au mal que tu peux faire aux autres : ça t'évitera bien des ennuis. Même un tout petit objet peut avoir une valeur sentimentale très forte pour quelqu'un. À quoi bon le voler ?

« Allô ?

– Mon chéri, c'est pour te dire que la maison a brûlé. Tout est détruit, tes affaires aussi.
– Ah oui ?
– Sinon on a joué au Loto et on a gagné plusieurs dizaines de millions.
– Ah bon !
– On va t'offrir un stylo-bille, un quatre couleurs.
– Nooon ? Super-méga-giga top cool. C'est trop génial ! »

Zen ou pas zen?

• Égorger une poule qui vient de pondre parce que tu n'aimes pas les œufs :
pas zen du tout, 0 point.

• Supporter sans broncher un prof qui postillonne sur ton verre de lunettes juste nettoyé :
zen, 5 points.

• Partir à la pêche à pied en tongs tandis que ce nain de faux frère d'ex-pote dragouille la fille qui te plaît et-en-plus-il-le-sait :
mucho-sehr-too much-molto :
très zen, 200 points.

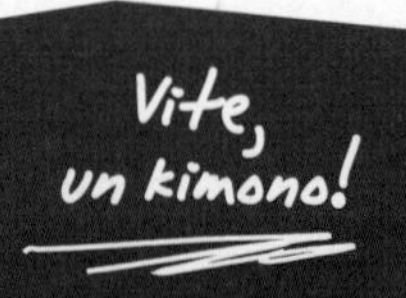

Zen est un mot d'origine extrême-orientale qui a trait à la religion bouddhiste et à l'une de ses caractéristiques : le recours à la méditation. Sans adhérer à cette religion, la pratique de certaines disciplines – le yoga est la plus connue – permettrait d'atteindre l'état « zen ». La majorité des arts martiaux (karaté, tai-chi-chuan, etc.), eux aussi venus d'Asie, favoriseraient également la confiance et donc la maîtrise de soi, la « zénitude » quoi.

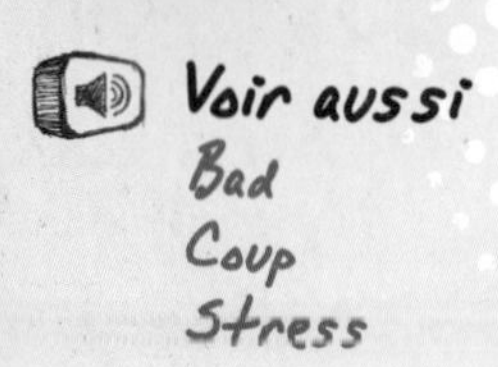

Être zen, ce n'est pas rester sans réaction face à un événement, qu'il soit heureux ou dramatique. Dans ce cas, on dit d'un individu qu'il est amorphe, que c'est un « flan ». Ce n'est pas non plus réagir de manière disproportionnée à une nouvelle, à une situation bonne, banale (même si on adore les stylos quatre couleurs) ou mauvaise. Être zen consisterait davantage dans le fait de garder son calme, de réagir avec flegme (British ou autre), sans excès d'aucune sorte, par exemple ne pas sortir un bazooka lorsque quelqu'un t'effleure ou ne pas hurler de joie en courant si une fille qui te plaît t'a lancé un sourire. Maîtriser ses émotions, ses réactions, zen donc, mais pour quel bénéfice ?

La Beigne appelle la Tarte

Répondre à un acte, une parole, hostile ou non, du tac au tac d'accord. Réfléchir et en discuter calmement, c'est mieux parce que tu vas avoir le temps d'analyser la situation et d'agir en conséquence. Tu es « à fleur de peau » ? Il y a fort à parier que tu vas déclencher ou amplifier les tensions : si tes parents te conseillent de mettre un pantalon pour sortir et que tu leur réponds qu'ils sont nuls, tu risques de vite regretter ta virée en slip. À force de réagir ainsi, tu vas vivre dans un état de stress permanent que tu généreras toi-même. Pas la peine. D'autant que les gens calmes, zen, sont bien plus appréciés que les agités et réussissent mieux dans tous les domaines : envoie bouler profs, puis clients ou patrons par exemple, tu auras peu de chances de toucher le jackpot.

NO
STRESS
OPTALIX

IndEX

-A-

-B-

-C-

-D-

- H -

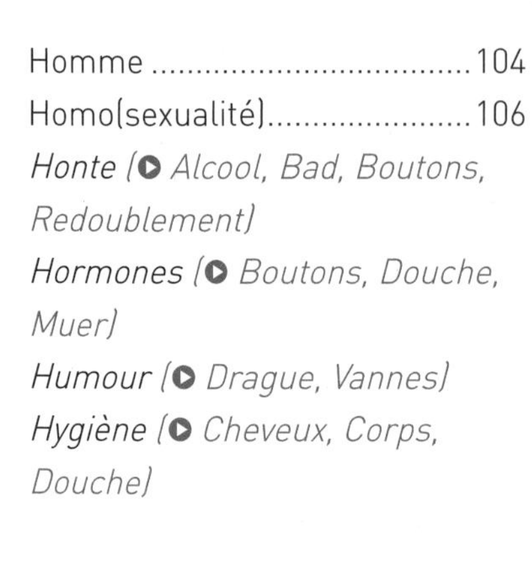

-N-

-O-

-P-

-Q-

-R-

4
I ♥ SK8

Numéros utiles

GASOLINE
GAS

ALCOOL

Les Alcooliques Anonymes
Tél. : 0 820 32 68 83
Permanence téléphonique
7j/7, 24 h/24.
www.alcooliquesanonymes.fr

Drogues-Alcool-Tabac Info Service
Tél. : 0 800 23 13 13
Appel anonyme et gratuit d'un poste fixe dans toute la France. 7 j/7, de 8 h à 2 h du matin. D'un téléphone portable : 01 70 23 13 13. Prix d'une communication ordinaire.
www.drogues-info-service.fr

Écoute Alcool
Tél. : 0 811 91 30 30
Prix d'une communication locale.
7 j/7, de 8 h à 2 h.

Fil Santé Jeunes
Tél. : 32 24
7j/7, de 8 h à minuit ; appel anonyme et gratuit d'un poste fixe ou d'une cabine téléphonique dans toute la France.
D'un téléphone portable : 01 44 93 30 74. Prix d'une communication ordinaire.
www.filsantejeunes.com

BÉNÉVOLAT

France bénévolat
127 rue Falguière (hall B1)
75015 Paris.
Tél. : 01 40 61 01 61, du lundi au vendredi de 9 h 30 à 13 h, et de 14 h à 17 h.
www.francebenevolat.org

Mais aussi plus près de chez toi, tu peux te renseigner auprès de :
- ta mairie,
- ta paroisse (l'Église la plus proche de ton domicile) ou une organisation religieuse
dont tu te sens proche.

CONTRACEPTION

Fil Santé Jeunes
Tél. : 32 24
7j/7, de 8 h à minuit ; appel anonyme et gratuit d'un poste fixe ou d'une cabine téléphonique dans toute la France. D'un téléphone portable : 01 44 93 30 74. Prix d'une communication ordinaire.
www.filsantejeunes.com

DROGUES

Drogues-Alcool-Tabac Info Service
Tél. : 0 800 23 13 13
Appel anonyme et gratuit d'un poste fixe dans toute la France. 7 j/7, de 8 h à 2 h du matin. D'un téléphone portable : 01 70 23 13 13. Prix d'une communication ordinaire.
www.drogues-info-service.fr

Écoute Cannabis
Tél. : 0 811 91 20 20
Prix d'une communication locale.
7 j/7, de 8 h à 20 h.
www.drogues.gouv.fr

FUGUE

Fil Santé Jeunes
Tél : 32 24
7j/7, de 8 h à minuit ; appel anonyme et gratuit d'un poste fixe ou d'une cabine téléphonique dans toute la France. D'un téléphone portable : 01 44 93 30 74. Prix d'une communication ordinaire.
www.filsantejeunes.com

INCESTE

Allô Enfance Maltraitée
Tél. : 119. Appel anonyme et gratuit dans toute la France, 24 h/24.
www.allo119.gouv.fr

IST

Fil Santé Jeunes
Tél. : 32 24
7j/7, de 8 h à minuit ; appel anonyme et gratuit d'un poste fixe ou d'une cabine téléphonique dans toute la France. D'un téléphone portable : 01 44 93 30 74. Prix d'une communication ordinaire.
www.filsantejeunes.com

Sida Info Services
Tél. : 0 800 840 800
7 j/7, 24 h/24.
Appel anonyme et gratuit dans toute la France.
www.sida-info-service.org

MALTRAITANCE

Allô Enfance Maltraitée
Tél. : 119. Appel anonyme et gratuit dans toute la France, 24 h/24.
www.allo119.gouv.fr

POLITIQUE

Pour se renseigner sur les conseils municipaux d'enfants et de jeunes, contacter :

Association nationale des conseils d'enfants et de jeunes (Anacej)
10-14 rue Tolain, 75020 Paris
Tél. : 01 56 35 05 39
www.anacej.asso.fr

RACISME

SOS-Racisme
51, avenue de Flandre
75019 Paris.
Tél. : 01 40 35 36 55
www.sos-racisme.org
Du lundi au vendredi, de 9 h à 18 h.

Mrap (Mouvement contre le racisme et pour l'amitié entre les peuples)
43, boulevard Magenta
75010 Paris.
Tél. : 01 53 38 99 99
www.mrap.asso.fr
Du lundi au vendredi de 10 h à 12 h 30 et de 14 h à 18 h.

Licra (Ligue internationale contre le racisme et l'antisémitisme)
42, rue du louvre
75001 Paris.
Tél. : 01 45 08 08 08
www.licra.org
Du lundi au jeudi de 10 h à 18 h et le vendredi de 10 h à 17 h.

RACKET

Fil Santé Jeunes
Tél. : 0 800 20 22 23
7 j/7, de 8 h à 23 h ;
appel anonyme et gratuit de toute la France.
www.jeunesviolencesecoute.fr

SECTES

Pour apprendre à reconnaître les méthodes des sectes, consulter le site ministériel : www.miviludes.gouv.fr

Pour t'informer ou te faire aider si un membre de ton entourage est entré dans une secte, tu peux t'adresser à :

Unadfi (Union nationale des associations de défense des familles et de l'individu victimes de sectes)
Basée à Paris, elle a des antennes dans toute la France.
Tél. : 01 44 92 35 92

Du mardi au vendredi, de 9 h 30 à 13 h, et de 14 h à 17 h.
www.unadfi.org

SPORT

Tu peux te renseigner sur les sections sportives scolaires auprès du CIO de ton établissement ou du rectorat de ton académie dont tu trouveras les coordonnées sur le site du ministère de l'Éducation nationale : www.education.gouv.fr

SUICIDE

Fil Santé Jeunes
Tél. : 32 24
7j/7, de 8 h à minuit ; appel anonyme et gratuit d'un poste fixe ou d'une cabine téléphonique dans toute la France.
D'un téléphone portable : 01 44 93 30 74. Prix d'une communication ordinaire.
www.filsantejeunes.com

SOS Amitié
Tél. : 01 42 96 26 26
Écoute 7 j/7, 24 h/24.
Appel anonyme ; coût d'une communication locale.
www.sos-amitie.org

Suicide Écoute
Tél. : 01 45 39 40 00
Écoute 7 j/7, 24 h/24.

TABAC

Drogues - Alcool - Tabac Info Service
Tél. : 0 800 23 13 13
Appel anonyme et gratuit d'un poste fixe dans toute la France. 7 j/7, de 8 h à 2 h du matin. D'un téléphone portable : 01 70 23 13 13. Prix d'une communication ordinaire.

Tabac Info Service
Tél. : 39 89
www.tabacinfoservice.fr
Du lundi au samedi, de 9 h à 20 h ; 0,15 euros / minute.

Classes non fumeurs
Concours européen ouvert aux collégiens : « Sans clope je suis au top ! »
Tél. : 01 43 25 19 65
www.classesnonfumeurs.org

VIOLENCE

Jeunes Violences Écoute
Tél. : 0 800 20 22 23
7 j/7, de 8 h à 23 h ; appel anonyme et gratuit de toute la France.
www.jeunesviolencesecoute.fr

Allô Enfance Maltraitée
Tél. : 119. Appel anonyme et gratuit dans toute la France, 24 h/24.

Fil Santé Jeunes
Tél. : 32 24
7j/7, de 8 h à minuit ; appel anonyme et gratuit d'un poste fixe ou d'une cabine téléphonique dans toute la France.
Ou depuis un portable : 01 44 93 30 74. Prix d'une communication ordinaire.

Dépôt légal : octobre 2011
Achevé d'imprimer en septembre 2011
par Graficas Estella (Espagne)